2e année

L'heure de la lecture

D0773930

2e année

L'heure de la lecture

Un recueil de 7 histoires
adaptées à ton niveau de lecture

Isabelle K. Morin

CAR
ACT
ÈRE

Les Éditions Caractère inc.
5800, rue Saint-Denis, bureau 900
Montréal (Québec) H2S 3L5 Canada
editionscaractere.com

Illustrations : Amandine Gardie
Révision : Cynthia Cloutier Marenger
Correction : Sabine Cerboni
Conception de la couverture : Bruno Paradis

ISBN : 978-2-89742-045-1

Imprimé au Canada
© Les Éditions Caractère inc.
Dépôt légal – Bibliothèque et Archives nationales
du Québec, 1er trimestre 2015

Les Éditions Caractère inc. remercient le gouvernement du Québec
– Programme de crédit d'impôt pour l'édition de livres – Gestion
SODEC.

Nous reconnaissons l'aide financière du gouvernement du Canada par
l'entremise du Fonds du livre du Canada pour nos activités d'édition.

Nous remercions également la SODEC de son appui financier (pro-
grammes Aide à l'édition et à la promotion).

Les aventures de Juliette

Table des matières

Juliette
et le voleur
de bonbons

« Ma petite Juliette, il n'y a rien de plus délicieux au monde que les bonbons », me dit souvent mon père.

Mon père adore les bonbons. Il connaît toutes les sortes, toutes les saveurs, toutes les couleurs. Il a un faible pour la réglisse à la cerise et pour les bouchées de chocolat aux noisettes. Il en a toujours plein les poches !

Vous trouvez sans doute que je suis chanceuse? Avoir un père qui adore les friandises, tous les enfants en rêvent! Ainsi, ils pourraient se gaver de sucreries à volonté!

Mais ce n'est pas aussi simple que ça.

Mon père est propriétaire d'un dépanneur et nous vivons à l'étage au-dessus. Les bonbons, il ne fait pas qu'en manger, il en vend. Et gare à moi si j'essaie d'en avaler un sans sa permission !

Mais ça ne risque pas d'arriver parce que, moi, je n'aime pas les bonbons. Eh oui ! C'est comme ça.

Ma mère me dit souvent : « C'est normal, mon petit cœur en miel. Tu es tombée dans les bonbons quand tu étais toute petite. Alors, tu n'as plus envie d'en manger. »

Et c'est bien vrai. Pourtant, j'aime les emballages des gommes à mâcher. J'aime aussi les couleurs éclatantes des bonbons durs. J'adore ouvrir les chocolats qui contiennent des surprises.

Mais les manger? Ça non, jamais!

Mes papilles gustatives n'aiment pas le sucre. Quand ils fondent, les bonbons font

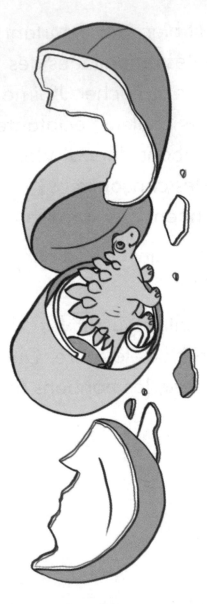

un sirop qui colle à ma luette.
Oui, la luette, vous savez,
cette drôle de chose qu'on
a au fond de la gorge et qui
s'agite quand le dentiste
nous demande d'ouvrir
grand la bouche et de faire :
« Aaaaaaaah ! »

Moi, j'aime le salé et le piquant.
J'aime l'acide et l'amer. Je n'ai
pas la dent sucrée.

Je sais, c'est bizarre. Un enfant
qui n'aime pas le sucre, c'est

aussi rare qu'un ours polaire au Sahara. C'est aussi difficile à rencontrer que la fée des dents. C'est aussi étonnant qu'un prince charmant qui se transforme en grenouille. Ça ne se peut *presque* pas.

«Tu es un cas unique», me répète fièrement mon père.

C'est vrai que c'est rare...

Je connais des enfants prêts à avaler un verre complet de

sirop d'érable sans respirer.
Ouache ! J'ai un voisin qui
échangerait un de ses jouets
pour une poignée d'ours en
gelée. Je connais le nom
d'au moins dix enfants prêts
à braver les règlements
de l'école pour manger
une sucette en cachette à la
récréation. Je connais même
des *anciens* enfants qui se
jettent sans retenue sur un bol

de friandises. Ma grand-mère,
par exemple, une femme
tellement vieille qu'elle est
née avant Internet, ne peut
s'interdire de manger
quelques jujubes.

C'est simple : tous les enfants,
jeunes ou vieux, ADORENT les
friandises ! Sauf moi.

Les enfants «normaux», ceux qui aiment le sucre, me demandent tout le temps :

— Toi, Juliette, qu'est-ce que tu aimes manger?

Et leurs parents me demandent souvent :

— Toi, Juliette, si tu te retrouvais toute seule sur une île déserte, et que tu avais à choisir un seul aliment, lequel ce serait?

Je leur réponds :

— Sur une île déserte ? Si j'avais à choisir un aliment ? Un seul ? Je choisirais... un sac de betteraves.

— Un quoi ? me demandent les enfants qui aiment le sucre.

— Un quoi ? me demandent les parents des enfants qui aiment le sucre.

— Bien oui, un sac de betteraves. Ou mieux, un gros pot de betteraves marinées dans le vinaigre.

Tout le monde me regarde comme si j'étais une extra-terrestre. Les gens rient ou pensent que je fais une blague.

Mais ce n'est pas une blague ! J'aime vraiment les betteraves et tant mieux si je suis la seule.

Je n'ai pas à partager. Ça en fait plus pour moi.

— Et comment les manges-tu ? me demande les parents et les enfants qui aiment le sucre.

— Je les aime crues dans une salade. Je les adore aussi bouillies et coupées en petits cubes. Mais ce que j'aime par-dessus tout, ce sont les betteraves marinées !

Là, j'ai droit à des regards surpris et admiratifs. Les adultes sont épatés ! Un enfant qui aime les betteraves au vinaigre est sûrement exceptionnel. C'est une personne forte, une « dure à cuire » !

Être une « dure à cuire », ça veut aussi dire n'avoir peur de rien. Et c'est vrai... Moi, je n'ai peur de rien. Pas même des voleurs de bonbons.

Et si vous ne me croyez pas, je vais vous raconter une histoire.

*****

D'abord, je dois faire une mise au point.

Vous ne le savez peut-être pas, mais la vie dans un dépanneur est remplie de dangers. Je le sais parce que je passe plusieurs heures auprès de mon père à l'aider au magasin.

Vous voulez des exemples ?

Premièrement, il y a les clients qui ont l'air bête, et qui viennent acheter leur journal avant d'avoir bu leur premier café. Ils peuvent grogner très fort s'ils oublient leur portefeuille à la maison ou si papa leur dit : « On n'a plus d'exemplaire de votre journal. » Franchement, si je n'étais pas aussi courageuse, ils me feraient peur.

Deuxièmement, il y a les vols à main armée. Papa dit que ça arrive seulement dans les films et au Far West. Moi, je garde tout de même l'œil ouvert. Je ne sais pas où est le Far West

(c'est peut-être juste au coin de la rue) et je dois protéger mon père.

Troisièmement, il y a les invasions de fourmis. Elles sont plus fréquentes que les vols à main armée. Maman aimerait bien qu'elles se passent ailleurs, au Far West, par exemple. Mais des fourmis, il y en a plein dans mon quartier.

Puis le sucre, c'est leur nourriture préférée. Et du sucre, il y en a plein le magasin. Je vous laisse faire l'équation.

Le problème avec les fourmis, c'est qu'elles ne connaissent pas les quatre groupes alimentaires. Elles sont comme des enfants mal élevés. Elles veulent juste manger du dessert.

Finalement, il y a aussi les voleurs de bonbons, le pire danger de tous les temps. Et là, je ne parle plus des fourmis, qui sont nombreuses mais qui ont de très petites bouches. Je parle de vrais êtres humains, avec de grandes bouches, de larges mains et de longues poches. Des voleurs, quoi ! De la main à la poche, ils savent comment faire disparaître des paquets de bonbons au complet.

*****

L'autre jour, je grignotais tranquillement une betterave au vinaigre quand, tout à coup, mon père a crié :

— Ah non ! Le voleur de bonbons a encore frappé !

— Quoi ? Il t'a frappé ? Est-ce que ça va ? Attends, j'appelle le 911 !

— Mais non, il ne m'a pas frappé ! Il s'en est pris à l'étalage des bonbons ! C'est la cinquième fois ce mois-ci… Je ne sais pas comment il fait ça ! Je n'ai rien vu sur la caméra de surveillance ! On dirait que ce voleur est un fantôme !

Je sais, je sais… Vous vous dites sans doute qu'en entendant mon père, j'ai eu très peur. Après tout, quel enfant n'aurait pas peur d'un

voleur-fantôme ? Vous pensez
sans doute que j'ai supplié
mon père d'appeler la police,
la voyante, les pompiers, le
premier ministre ? Pas du tout !
Je me suis redressée et j'ai
lancé :

— À nous deux, voleur de
bonbons !

Puis, j'ai saisi dans mes mains
des betteraves fraîches. J'avais
un plan. J'ai passé les heures

suivantes dans la cuisine. Ma
mère était ravie :

— Juliette, tu nous prépares
des petits plats ?

— Ne regarde pas, maman !
C'est une surprise !

— Bon, d'accord. Mais ne
fais pas de bêtises ! a-t-elle
répondu.

Mon père était moins content.
Cette histoire de voleur de
bonbons l'avait rendu bougon.

— Juliette ! J'ai besoin d'aide !
Viens m'aider au dépanneur !

— J'arrive, papa ! Donne-moi
quelques minutes...

Je me suis activée le plus vite
possible. Pas facile. Ce que je
faisais demandait beaucoup
de précision. En moins de deux
heures, j'avais fabriqué un
appât à voleurs de bonbons.
Oui oui, un appât.

Pour attraper les fourmis, maman met de la confiture avec du borax, une poudre blanche qui sert d'insecticide.

Pour attraper les souris, papa met du beurre d'arachide sur des pièges.

Pour attraper le voleur de bonbons, moi, j'ai fabriqué... de faux bonbons !

J'ai découpé mes betteraves en petites boulettes, de la taille exacte d'un bonbon. J'ai récupéré de vieux emballages dorés. Puis, j'ai pris les boulettes et je les ai emballées.

En apparence, ces bonbons-là étaient aussi bons que les autres, mielleux et délicieux.

En vérité, ils étaient faits…
de mon légume préféré !

Quoi de mieux que la
betterave pour faire réagir
un voleur ? De quoi le
surprendre… Et peut-être
de lui donner mal au cœur…
J'allais donner une bonne
leçon à ce voleur, parole de
Juliette !

— Qu'est-ce que c'est que ça?
m'a demandé mon père quand
il m'a vu remplacer un bol de
dragées par mes bonbons
dorés.

— C'est un piège à voleurs!

— Un piège à voleurs?
Comment ça marche?

— Attends un peu! Tu vas voir!

Mon père n'avait pas trop
envie d'attendre un peu, mais

il n'a pas eu le choix. Il était
d'ailleurs bien trop occupé
pour s'intéresser à mon plan
infernal. C'était samedi. Et
le samedi, le dépanneur ne
dérougit pas. Il y a des clients
toute la journée. Madame
Unetelle vient chercher son
lait. Monsieur Untel achète
des croquettes pour son chat.
Quand un client part, un client
entre aussitôt. Le magasin

est toujours rempli. « C'est le moment idéal pour voler des bonbons sans se faire remarquer », ai-je pensé. Je suis restée dans un coin, à faire semblant de lire une bande dessinée, et j'ai attendu. Pas de doute, mon fantôme allait passer à l'action aujourd'hui.

J'ai attendu cinq minutes.

Puis, dix.

Puis, vingt.

Puis, trente.

Je commençais à penser que mon plan n'avait pas fonctionné lorsque j'ai entendu crier :

— Ouache ! C'est dégoûtant !

N'écoutant que mon courage, j'ai bondi. Je me suis dirigée vers l'endroit d'où venait la voix. Dans les marches du dépanneur, un garçon avait la tête penchée. Il crachotait et toussotait. J'ai observé ses cheveux bruns et son chandail blanc. Ce garçon ressemblait drôlement à Antonin, mon voisin. Quand il a relevé la tête, j'ai découvert que c'était bien lui. Il avait la bouche toute rouge et le t-shirt barbouillé de rouge. Pas rouge écarlate. Ni rouge vin. Certainement pas rouge colère. Non, c'était rouge betterave ! Rouge comme les faux bonbons qu'il était en train de cracher sur les marches. J'ai crié :

— Antonin ! Je n'y crois pas ! C'est toi, le voleur de bonbons !

Aussitôt, il s'est caché le visage dans ses mains :

— Non ! Ce n'est pas moi ! a-t-il murmuré.

Pourtant, il ne pouvait pas nier l'évidence. Dans le dépanneur, mon père a lancé à son client :

— Merci monsieur Brochu ! À très bientôt !

Et monsieur Brochu est sorti, son litre de lait dans les mains. Monsieur Brochu, le père d'Antonin ! Monsieur Brochu, le dentiste du village !

— Ne dis rien à mon père ! a supplié Antonin.

Puis, il a baissé la tête et a suivi son père.

Moi, j'étais mal à l'aise. Maintenant, je savais qui était le voleur de bonbons. Ce que je ne savais pas, c'est si je devais le dénoncer. Qu'allait devenir Antonin si son papa apprenait qu'il volait? Qu'allait devenir mon voisin si j'avouais qu'il mentait? Et… Un fils de dentiste voleur de bonbons? Oh là là! Son papa ne serait pas content en découvrant ça ! Il valait peut-être mieux garder le secret. J'hésitais à dire la vérité quand mon père est sorti me rejoindre à l'entrée du dépanneur. Il a regardé le sol jonché de morceaux de betteraves.

— Juliette, c'est toi qui as fait ça ? Je t'ai interdit cent fois de manger ici !

Ça, c'était trop fort ! J'allais me faire punir à cause d'un voleur ? Ah non ! J'ai décidé de tout raconter à mon père. Il m'a écouté en hochant la tête, l'air songeur. Mon père est un homme bon. Il aime les bonbons, mais pas les punitions. Après un moment de réflexion, il m'a dit :

— Je sais ce que nous allons faire.

Et c'est ainsi qu'Antonin, le petit coquin, est devenu commis au dépanneur. À partir de ce jour-là, c'est lui qui est allé porter le lait de madame Unetelle et les croquettes du chat de monsieur Untel. Avec les sous des commissions, il a eu assez d'argent pour s'acheter des bonbons, des vrais, délicieux et mielleux. Je ne sais pas si mon père a raconté toute l'histoire à monsieur Brochu. Je ne sais pas non plus si Antonin a été privé de télévision pour avoir volé des bonbons. Chose certaine, il n'a plus jamais fait passer un bonbon du comptoir à sa poche sans d'abord le payer.

Quant à moi... J'ai continué à surveiller les voleurs de bonbons. Après tout, j'étais devenue une experte. Et croyez-moi, les enfants qui aiment les bonbons sont prêts à tout pour se sucrer la bouche!

Une chance que je préfère les betteraves!

Simon et la guerre des bancs

Moi, j'ai de la chance. J'habite juste en face de mon école. Le matin, je peux donc me lever très tard. Ça tombe bien, parce que j'aime beaucoup dormir!

— Simon! Lève-toi, crie ma mère chaque matin.

Une fois debout, je m'habille et je mange un bol de céréales à toute vitesse. Dès que j'entends la cloche sonner, je donne un bisou à mes parents et je vais à l'école. J'ai déjà compté: il faut que je fasse vingt-huit pas avant d'arriver à la cour de récré.

Vingt-huit pas, dix-neuf secondes ! Je marche vraiment vite ! Et j'adore compter ! Souvent, quand je vais quelque part, je compte le nombre de mes pas. Comme je fais beaucoup d'activités dans mon quartier, je dépasse rarement cinq cents pas. Mon parcours préféré, c'est de l'école au dépanneur. Pour y arriver, je dois marcher soixante-douze pas. Soixante-cinq, si j'étire bien les jambes pour faire des pas de géant, comme mon grand frère Samuel.

Samuel, il est en cinquième année. Quand on va au dépanneur ensemble, on marche nos soixante-douze pas au même rythme. Mais une fois nos achats faits, on se sépare. Lui, il s'assoit toujours sur le banc de droite et moi, sur celui de gauche. C'est comme ça depuis toujours, au dépanneur. L'été, à la fin de la journée d'école, les enfants du voisinage vont s'acheter un *popsicle.* Les grands, de la quatrième à la sixième année, s'assoient sur le banc de droite. Les petits, de la maternelle à la troisième année, s'installent sur celui de gauche. Mon père a grandi dans le quartier et il dit que ça a toujours été comme ça. Les plus grands d'un côté, les plus jeunes de l'autre, et il n'y a pas de chicane. La paix règne. Des fois, un plus jeune va voir son grand frère ou sa grande sœur et lui demande s'il a quelques sous, surtout les jours chauds où on aurait envie de manger deux mille *popsicles*. Des fois, ça brasse un peu, surtout du côté des plus jeunes, parce qu'on peut seulement s'asseoir quatre à la fois. Et les jours de canicule, on est nombreux à manger un *popsicle* en même temps! Une fois, on était douze enfants devant le dépanneur! Je le sais, j'ai compté! Douze enfants et

deux bancs à quatre places...
Ça fait huit enfants assis et
quatre debout! Une chance
que les grands ont accepté de
laisser leur banc aux plus
jeunes! Sinon, ça aurait fait de
la bataille.

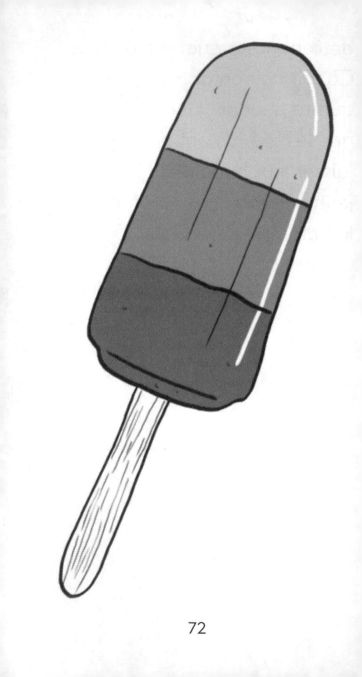

De la bataille…

Justement, il y en a eu l'autre jour, de la bataille. Une vraie guerre de clans. Ou plutôt, une guerre de bancs.

*****

Tout a commencé à cause d'un incendie. Un immense incendie ! Dans la nuit de dimanche, il y a eu un feu à quelques rues de chez nous. Assez près de la maison pour qu'on entende les sirènes de pompiers toute la nuit. Le matin, on a vu dans le journal ce qui s'était passé. Un gros feu a détruit tout un immeuble. Il a fallu plusieurs camions de pompiers et des heures de travail pour dompter les flammes. Ma mère m'a montré les photos, tout était devenu noir et calciné. Heureusement, le bâtiment était vide. Personne

n'a été blessé. Sur une photo
du journal, sous les bouts de
bâtisse brûlés, on pouvait
encore lire : « Boulangerie
Beaulac ». J'ai crié :

— Oh non ! C'est la
boulangerie Beaulac qui a
brûlé !

La boulangerie Beaulac, on n'y va pas très souvent. C'est à au moins sept cents pas de la maison. Par contre, quand on passe par là, on s'arrête toujours pour prendre un petit pain au lait. Le boulanger, monsieur Charles, est très gentil. Il donne des petits pains au lait à tous les enfants qui viennent à sa boulangerie. Pas étonnant qu'elle soit si

populaire, surtout qu'elle se
trouve juste devant l'autre
école de mon quartier, l'école
Beaulac. Les enfants de cette
école-là ne mangent pas des
popsicles à la fin de la journée.
Ils mangent des pains au lait
et des brioches. Enfin... Ils
mange*aient*. Avec l'incendie,
la boulangerie va fermer
pendant plusieurs semaines.
Peut-être même des mois !
J'ai pensé à tous les enfants

qui allaient voir les décombres en allant à l'école. Je les trouvais à la fois malchanceux et chanceux. Malchanceux, parce qu'ils n'allaient plus pouvoir manger les délicieux pains de monsieur Charles et parce que c'est triste de voir un beau bâtiment réduit en cendres. Chanceux parce qu'ils allaient pouvoir regarder la construction de la nouvelle boulangerie. Moi, je n'ai jamais vu la construction d'un immeuble! J'aimerais voir comment on fait. Je me demande combien de clous ça prend pour construire tout un immeuble de trois étages! Au moins un million, c'est sûr! Je me suis promis d'aller faire un tour du côté de l'école Beaulac pour admirer le chantier.

L'après-midi même, après l'école, je suis allé au

dépanneur avec mon frère et son ami Matéo. Maman nous avait demandé d'acheter du lait.

— Et vous pourrez vous prendre un petit quelque chose à grignoter s'il reste des sous, a-t-elle ajouté.

Maman nous donne toujours un peu trop d'argent quand elle nous envoie faire les commissions. C'est sa façon de nous récompenser.

Quand nous sommes arrivés devant le dépanneur, juste après la fin de l'école, une drôle de surprise nous attendait. Assis sur les bancs, il y avait une bande d'enfants que nous ne connaissions pas.

— Ce sont les élèves de l'école Beaulac, a chuchoté mon amie Juliette, la fille du propriétaire du dépanneur.

— Mais qu'est-ce qu'ils font ici ?
a demandé Matéo d'un ton
outré. Ils prennent toute la
place !

Mon frère a suggéré :

— Il faudrait les chasser ! C'est
notre dépanneur, pas le leur !

Le propriétaire du dépanneur,
le père de Juliette, qui nous
avait entendus, a répliqué :

— Arrêtez de comploter ! Tout
le monde a le droit de s'asseoir
sur les bancs ! Ils sont pour
tous les clients, sans exception.
Premier arrivé, premier assis.

Mon frère Samuel a grogné
et a tendu cinq dollars pour
acheter le lait. Il était si fâché
qu'il a même oublié d'acheter
une friandise avec les sous
restants.

— Hé, Sam! On achète des
bonbons? lui ai-je dit.

— Fais ce que tu veux. Moi,
je rentre à la maison, a-t-il
répondu.

Il a franchi la porte du dépanneur pour rentrer chez nous. Matéo l'a suivi sans dire un mot. Mais une fois devant les enfants, il s'est arrêté et a lancé :

— Ça, c'est mon banc ! Vous n'avez pas le droit de vous asseoir dessus !

Un grand garçon échevelé lui
a répondu du tac au tac :

— Il y a ton nom écrit dessus ?

Matéo a serré les dents.

— Pourquoi l'écrire ? Je suis sûr
que tu ne sais même pas lire !

Là, les choses ont dégénéré.
Le grand s'est approché de
Matéo comme pour l'attaquer.
Matéo, au lieu de partir, a

tendu les poings. Alors, toute la bande de l'autre école s'est levée d'un coup. Nous n'avions pas fière allure, mon frère, Matéo et moi contre une bande d'au moins huit élèves de sixième année – j'étais bien trop énervé pour les compter. Finalement, le père de Juliette est sorti dehors.

— Qu'est-ce que vous faites, les enfants ? Pas de chicane dans ma cabane, vous comprenez ça ? Samuel, Matéo, je vous avais avertis tantôt !

Matéo a gardé les poings serrés, mais il a baissé les bras. Et nous sommes rentrés sagement chacun chez soi.

Sans avoir dépensé les sous de maman.

— Eh bien, c'est bien la première fois que vous me remettez la monnaie, a remarqué notre mère. Ça va, les garçons ? Vous n'êtes pas malades, j'espère ?

— Ça va, a grogné mon frère.

Et il s'est enfermé dans sa chambre.

— Ah, celui-là… a soupiré maman.

Le lendemain, en rentrant de l'école, Samuel m'a dit :

— Toi, tu rentres. Moi, j'ai quelque chose à régler avec les élèves de l'école Beaulac.

— Je veux y aller avec toi, ai-je supplié.

— Non, tu es trop petit.

— S'il te plaît!

Mon frère a agité la tête avec impatience, mais il a dit:

— OK. Il vaut mieux être le plus nombreux possible. Mais pas un mot à maman, d'accord?

J'ai fait d'accord de la tête. Je me demandais vraiment ce que mon frère manigançait.

Nous avons attendu quelques minutes devant l'école. Au bout de dix minutes, sept amis de mon frère et quatre grands de sixième année nous avaient rejoints.

— On y va ! a ordonné Matéo.

Nous avons marché vers le dépanneur à grandes enjambées. J'ai tellement étiré les jambes que j'ai fait le trajet en soixante-quatre pas – mon record ! Une fois devant le dépanneur, le scénario de la veille s'est reproduit. Les élèves de l'école Beaulac avaient déjà pris toute la place sur les bancs. Ils suçaient lentement leur *popsicle*, comme s'ils allaient passer toute leur vie sur NOS bancs. C'était une journée très chaude, il faut dire. La journée parfaite pour des *popsicles*. Ou de la *slush*. D'ailleurs, une fois dans le dépanneur, tous les grands ont acheté de la *slush*. À la fraise. Au raisin. À la framboise bleue. Rouge, mauve, bleu, il y en avait de toutes les couleurs ! Rien de trop bizarre, jusqu'ici. Tout le monde semblait agir normalement. Mais je sentais quand même qu'il y avait de l'électricité dans l'air.

C'est quand nous sommes sortis que le vent a tourné. Matéo a fait semblant de s'enfarger et il a laissé sa *slush* tomber sur un élève de Beaulac.

— Aaaaah ! C'est froid ! a crié l'élève.

— Hé! Tu as fait exprès, a
accusé un autre élève.

Alors, tous les élèves de mon
école ont lancé le contenu de
leur verre sur la bande qui était
assise sur les bancs. Même
mon frère Samuel a participé à
l'attaque! D'un bond, les

enfants se sont levés. Je m'attendais à ce qu'ils ripostent, mais non.

— Vous êtes fous ! a grogné l'un d'entre eux en s'éloignant.

— Ma mère va vous envoyer la facture du nettoyeur, a gémi un autre.

Nous avons contemplé les bancs. Ils étaient libres, maintenant. Mais tellement sales que personne n'avait envie de s'y asseoir.

— C'est vraiment brillant, ça, les garçons, a constaté Juliette en sortant dehors. Attendez que mon père découvre ce que vous avez fait !

— On a éliminé l'ennemi, a proclamé fièrement Matéo.

— On est les justiciers du dépanneur! a dit mon frère.

— N'importe quoi!

C'est vrai que c'était n'importe quoi. Et quand les parents ont appris quel genre de n'importe quoi faisait leur enfant après

l'école, ça s'est très mal passé.
Ils ont forcé toute la bande de
« justiciers du dépanneur » à
aller nettoyer leurs dégâts.
Mais le plus humiliant, c'est
qu'ils ont aussi dû aller faire
des excuses publiques à l'école
Beaulac. Devant tous les
élèves ! Moi, parce que j'étais
le plus jeune, on m'a laissé

tranquille. J'ai tout de même accompagné mon frère, par solidarité. Je me sentais un peu coupable aussi !

Heureusement que j'y suis allé, d'ailleurs, puisqu'au retour nous avons eu l'occasion de passer devant le chantier de construction. Mes parents, mon frère et moi nous sommes approchés. Et là, devant les ruines de l'ancienne boulangerie, j'ai reconnu monsieur Charles. Je pensais qu'il aurait l'air malheureux. J'ai donc été très étonné de le voir sourire.

— Nous sommes désolés pour votre commerce…, a dit papa.

Le sourire de monsieur Charles s'est élargi :

— Oh, ne soyez pas désolés ! Cet immeuble-là était tellement vieux ! J'avais décidé de déménager.

— Vraiment ? a demandé maman.

— Oui ! J'ai déjà mon local !
Rue Saint-Pascal !

— Saint-Pascal ? Mais c'est
tout près de chez nous, a
remarqué Samuel.

— C'est exactement à mi-
chemin entre les deux écoles
du coin, a précisé monsieur
Charles. Comme ça, pas de
jaloux, tout le monde pourra
manger mes brioches !

— Et ici ? Qu'est-ce qu'il y aura ? ai-je demandé.

— Ici ? Un dépanneur, je crois.

Deux jours plus tard, on annonçait l'ouverture prochaine d'un dépanneur à la place de l'ancienne boulangerie. Quant à la boulangerie Beaulac, elle déménageait en effet dans un plus grand local. À environ

trois cents pas de chez moi !
Génial !

Mais ce qui est le plus génial,
c'est que depuis ce temps-là,
comme par miracle, il n'y a
plus jamais eu de batailles de
banc. Mieux : les enfants des
deux écoles se côtoient
maintenant sans se chicaner.
Ils se retrouvent à la

boulangerie et mangent
ensemble, côte à côte, les
bons petits pains chauds de
monsieur Charles qui a eu la
bonne idée d'installer un seul
banc. Dessus, il a écrit : ce banc
appartient à tous les amoureux
du pain et de la paix !

Ce banc appartient à tous les amoureux
du pain et de la paix

Le grenier hanté

Juliette a grandi dans une drôle de maison. Dans sa maison, il y a trois étages. Un étage pour le commerce de son père, au rez-de-chaussée. Un deuxième étage pour loger la famille, juste au-dessus. Et en haut, tout en haut, il y a un troisième étage, le grenier.

Quand Juliette était toute petite, elle avait peur d'y aller. Un grenier, c'est inquiétant. On peut peut-être marcher sur une araignée ou se faire mordre par une chauve-souris ! Les greniers sont habités par des fantômes ! On y entend des grincements et des claquements inquiétants. Puis, ils sont hantés par de vieux souvenirs ! Non, Juliette n'aimait pas le grenier.

— Tant mieux, disait son papa. Le grenier n'est pas fait pour les enfants.

Ses parents lui répétaient tout le temps : « Interdit de

monter ! » Juliette était obéissante. Elle ne montait *jamais* au grenier. Mais à huit ans, sa maman lui a dit :

— Juliette, va donc en haut chercher une boîte de cacao.

— En… En haut ? Dans le grenier ?

— Oui, oui, dans le grenier.

— Sans surveillance ?

— Sans surveillance. Tu es une grande fille, maintenant.

— Oui, oui.

— Et tu n'as peur de rien.

— Non, non.

Depuis qu'elle avait découvert un voleur de bonbons, ses parents lui donnaient plus de responsabilités. Elle était fière et elle voulait leur prouver qu'ils avaient raison de lui faire confiance. Quand sa mère lui a demandé d'aller dans le grenier, elle a gravi les escaliers. Lentement. Une marche, deux marches. Elle découvrait que le grenier ne contenait rien d'inquiétant. Que des boîtes et des boîtes et des boîtes : le grenier était l'entrepôt de ses parents. C'était l'endroit où ils stockaient les réserves du magasin, paquets de

spaghetti, de macaroni, de
rigatoni et de biscuits,
conserves de tomates, de
petits pois et de thon. Une
vraie caverne d'Ali Baba, un
minimagasin.

Ce jour-là, Juliette est donc
allée chercher le cacao. Avant
d'ouvrir la lumière, elle a cru,

le temps d'une seconde, voir l'ombre d'une sorcière. Mais quand elle a allumé, il n'y avait plus rien. Que des boîtes et des boîtes et des boîtes. Un lit à tiroirs aussi, au fond de la pièce. Elle a cherché des cheveux noirs sur les oreillers, des grimoires dans les tiroirs, la trace d'une sorcière. Rien. Autour du lit, elle n'a trouvé que des vieilles publicités, des sachets de thé et quelques saletés. Non, le grenier n'était pas habité par une créature maléfique, il n'était pas hanté.

Depuis ce jour, Juliette va de temps en temps jouer

tranquillement dans le grenier.
Là-haut, il fait très chaud,
mais personne ne l'embête.
Elle joue avec ses poupées,
elle lit, elle regarde les petits
jouets que son père garde
pour les occasions spéciales. Il
y a des citrouilles en plastique
pour l'Halloween. Il y a des

lutins en plastique et des bas
colorés pour Noël. Il y a des
lapins en peluche pour
Pâques. Parfois, Juliette
époussette et fait semblant
d'être une orpheline,
prisonnière de la maison d'une
sorcière. Elle s'installe dans le
lit pas très confortable. Pour

Juliette, le lit peut se transformer en navire qui vogue dans la tempête. Il peut se transformer en abri au fond des bois. Juliette peut jouer toute seule, elle a tellement d'imagination ! Oh oui, ça, c'est vrai ! Elle a beaucoup d'imagination !

Une nuit où tout est calme dans la maison, du salon au balcon, Juliette entend un drôle de bruit. Elle se relève d'un bond dans son lit. Qu'est-ce que c'est ? Elle lève la tête. Le bruit vient du plafond ! Ce n'est pas un rêve, pas un cauchemar. Quelque chose bouge dans le grenier. Cette fois, Juliette manque de courage. Soudain, elle aimerait voir sa mère, sentir sa main lui caresser la tête. Elle marche jusqu'à la chambre de ses parents. Elle ne fait pas de bruit, pour ne pas alerter la chose qui bouge, en haut, dans le grenier.

Dans le lit de ses parents,
Juliette entend son père
ronfler. Elle s'approche, elle
cherche sa mère. À côté de
son père, il n'y a personne. Où
est maman ? Juliette craint le
pire. Sa mère a peut-être
entendu le bruit, elle aussi.
Elle est peut-être partie

combattre la sorcière du grenier. Sa mère aurait dû l'attendre ! Elle risque de se faire prendre ! Juliette sait attraper les voleurs de bonbons ; elle sait sans doute combattre les sorcières. Elle doit secourir sa mère ! Vite, elle va dans sa chambre. Elle s'empare d'une lampe de poche. Elle va dans la cuisine. Elle prend un balai pour se défendre. Puis, elle monte les marches sans un bruit. Elle est aussi silencieuse qu'un chat.

Quand Juliette arrive au grenier, le bruit s'est arrêté. Elle hésite. Elle ne sait plus

quoi faire. Peut-être a-t-elle
rêvé ? Peut-être que ce bruit-là
n'existait que dans sa tête.
Elle commence à
redescendre, soulagée. Mais
le bruit recommence. Ça fait
fruuuuîît, fruuuîît, fruuuuîît
et chuuuuuuîît, chuuuuuîît,
chuuuuîît et grouich, grouich,
grouich. Juliette tient son

balai bien fort dans ses mains. Elle sait qu'il fera une très bonne épée. Elle est brave. Elle monte les marches jusqu'en haut et allume sa lampe de poche.

Tout a l'air calme. Dans le grenier, il n'y a que des boîtes et des boîtes et des boîtes.

Juliette est soulagée, mais elle est aussi un peu embêtée. S'il n'y a que des boîtes, comment expliquer le bruit? Les fourmis? Jamais ces bestioles ne feraient un tel boucan. Juliette réfléchit. Elle réfléchit assez longtemps pour que le bruit reprenne. Vite, elle

éclaire l'endroit d'où proviennent les sons. C'est le lit qui couine et qui grince. Car dans le lit, une étrange créature somnole. Elle a des cheveux blonds et un visage rond. Juliette n'en revient pas. Ce n'est pas une sorcière, c'est sa mère! Mais que fait-elle là?

Pourquoi n'est-elle pas avec papa ? Juliette n'ose pas réveiller sa maman pour lui poser des questions. Elle ne se sent pas très bien, soudain. Elle a même une petite envie de pleurer. Quand les parents ne dorment plus ensemble, c'est qu'ils ne s'aiment plus, pense-t-elle en réprimant un sanglot. Elle retourne dans sa chambre, aussi silencieuse qu'un chat. En haut, il n'y a plus de bruit. Mais Juliette ne peut plus s'endormir. Elle a mal au ventre. Elle voudrait crier comme un bébé. Ses parents vont-ils se séparer?

Le lendemain, Juliette ne dit rien. Elle observe ses parents. Elle espère qu'ils lui expliqueront tout. Peut-être sa mère avait-elle une vilaine toux. Peut-être dormait-elle dans le grenier pour ne pas déranger son cher époux. Mais la mère de Juliette ne tousse pas. Elle ne sourit pas, ne parle pas. La mère de Juliette n'a pas l'air dans son assiette. Et son père ? Il file au magasin dès qu'il a avalé son café. Juliette part à l'école le cœur lourd. Elle voudrait entendre ses parents rigoler.

Toute la semaine, Juliette monte au grenier pendant la nuit. Toute la semaine, sa maman dort dans le lit de la sorcière. Juliette est désespérée. Elle essaie d'être très gentille, d'être la meilleure des filles pour que ses parents retrouvent le sourire. Elle fait des blagues pour les faire rire. Ça marche parfois. Par contre, la plupart du temps, ses parents semblent trop distraits pour s'amuser. Un jour, Juliette les entend parler à voix basse de choses très sérieuses. Ils ont les sourcils froncés et l'air préoccupé. Les jours suivants,

Juliette essaie de se rendre invisible. Elle traîne le plus longtemps possible à l'école. Elle veut rester au service de garde jusqu'à six heures.

— C'est normal que les parents se chamaillent, la rassure son ami Simon.

— Pas les miens ! Ils ne se chicanent jamais ! rouspète Juliette.

— Tu vas voir, tout va bien se passer.

Juliette ne croit pas Simon. Pourtant, un soir, quand elle rentre à la maison, elle voit ses parents rigoler ensemble. Son

père taquine sa mère, sa mère
rit. Quand elle voit sa fille
arriver, elle lui fait un clin
d'œil. Le père de Juliette
toussote alors et prend un air
très sérieux.

— Juliette, nous avons une
nouvelle à t'annoncer.

La fillette ne veut rien
entendre. Elle a envie de se

boucher les oreilles. À la place, elle se met à crier. Elle éclate. Elle dit tout ce qu'elle gardait pour elle depuis des jours. Sa mère qui dort au grenier, son père qui part tôt le matin, les silences, la séparation à venir.

— Je ne veux pas que vous vous sépariez ! finit-elle par hurler.

À ces mots, ses parents se regardent, l'air ahuri. Ils restent silencieux un moment, puis ils se mettent à rire. Ils rient longtemps et très, très fort. Cette fois, c'est Juliette qui ne comprend plus rien. Elle regarde son père. Elle regarde sa mère. Comment peuvent-ils trouver la situation drôle? Ils se séparent et ça les rend de bonne humeur?

C'est terrible et cruel. C'est incompréhensible... Juliette ne comprend plus rien. Finalement, sa maman s'avance vers elle. Elle lui prend la main doucement.

— Juliette, nous n'allons pas nous séparer. Au contraire.

Nous sommes toujours très amoureux, ton papa et moi.

— Maman, je sais que tu dors en haut ! Ne me raconte pas le contraire ! Je t'ai espionnée toutes les nuits !

— Petite cachottière ! Tu aurais dû venir me voir. Je t'aurais tout expliqué.

Elle caresse la tête de Juliette.

— Je dormais en haut pour ne pas déranger ton père. J'ai un peu de difficulté à trouver le sommeil ces temps-ci et je gigote tout le temps.

— Et moi, je dois bien dormir pour travailler un peu plus, ajoute son papa. Nous allons avoir de nouvelles dépenses

durant les prochains mois. Il
faudra faire une nouvelle
chambre dans la maison…

Juliette ne comprend toujours
pas. Alors, sa mère l'attire
dans ses bras. Elle dit :

— Ma belle chouette, tu vas
avoir un petit frère.

— Ou une petite sœur, ajoute
son père.

— Nous voulions attendre d'être sûrs pour te le dire.

Juliette agrandit les yeux. Ses parents la dévisagent. Ils ne savent pas si elle est contente ou triste. Finalement, un grand sourire se dessine sur les lèvres de la fillette.

— On va avoir un bébé !
s'exclame-t-elle.

Et elle se met à rire aussi. Sa famille ne se sépare pas, elle s'agrandit ! Juliette embrasse ses parents tour à tour.

— C'est le plus beau jour de toute ma vie !

Mathis a attrapé un rhume

Cette nuit, il a beaucoup neigé et, au matin, le jardin est tout blanc. Simon a envie de construire un gros fort dans sa cour ! Il a invité son amie Juliette à la maison et il l'attend impatiemment en passant du salon à sa chambre, de sa chambre au salon. Le seul problème, c'est que le petit frère de Simon, Mathis, le suit partout.

— Maman ! gémit Simon, j'attends mon amie et Mathis m'embête !

La maman de Simon a beaucoup de travail aujourd'hui. Elle ne peut pas s'occuper de Mathis et elle n'a pas envie de régler des conflits. Elle a des dossiers en retard. Elle doit travailler fort et passe son temps au téléphone. Les jours où maman travaille à la maison, elle n'est pas très patiente. Alors elle dit :

— Vous êtes grands, maintenant. Vous pouvez jouer ensemble! Organisez-vous.

Simon essaie d'ignorer son frère. Il regarde tomber la neige en attendant l'arrivée de Juliette. Elle devait être là à dix heures et il est déjà… Dix heures six! Elle est en retard! Simon a envie d'aller la retrouver. Après tout, elle habite juste à côté. Pour arriver au dépanneur du papa de Juliette, il faut dépasser la maison de monsieur Pailleur, couper à travers la cour d'école et… voilà! La maison de Juliette se trouve juste là! C'est facile, Simon connaît le chemin par cœur. Même pas cent pas! Mais Maman ne le laissera jamais partir. Il doit s'occuper de son frère. Il soupire.

Pour passer le temps, Simon
compte les flocons.

Un, deux, trois, quatre, cinq,
six… C'est long !

Heureusement, à dix heures dix,
sa meilleure amie sonne à la
porte. Youpi ! Juliette entre. Elle
est couverte de neige et Simon
la trouve très jolie. Elle ressemble
à un mini yéti. Elle enlève toutes

ses épaisseurs : tuque, foulard, mitaines, bottes, chaussettes de laine, chaussettes de nylon, chaussettes de coton.

— Tu portes trois paires de chaussettes, Juliette ? s'étonne Simon.

— Il faut se garder les pieds au chaud l'hiver ! C'est ce que dit ma mère.

Dès qu'elle s'est déshabillée,
Simon s'exclame :

— Oh non ! J'ai oublié ! Il faut te
rhabiller ! On va jouer dehors !

— Laisse-moi me réchauffer un
peu. Il fait tellement froid
aujourd'hui !

Les enfants jouent un moment
dans la salle de jeux. Juliette
s'amuse beaucoup. Elle aime
bien le petit frère de Simon.

Depuis qu'elle a appris qu'elle aurait aussi une sœur ou un frère, elle cajole Mathis. Elle s'exerce à devenir une bonne grande sœur. Elle peigne Mathis, elle joue avec ses animaux en peluche, elle lui apprend à dessiner des oursons, elle lui donne des bonbons. Ça agace Simon. Il voudrait garder son amie juste pour lui.

— Bon, on va construire notre fort ? suggère-t-il quand il réalise que Juliette et Mathis jouent sans lui.

— Encore cinq minutes, supplie Mathis.

Simon se fâche.

— Cinq minutes, tu ne sais même pas ce que c'est ! Tu as juste quatre ans, tu ne sais pas compter !

— Oui, je sais compter! crie Mathis.

— Non!

— Oui!

— Non!

— Vingt-huit, vingt-neuf, vingt-dix, vingt et onze...

— Tu comptes n'importe comment!

— Non, c'est pas vrai!

— Oui!

— Noooooooooon ! Maman,
Simon m'énerve !
Mamaaaaaaaaaan !

Mathis a la voix la plus perçante
du monde. Quand il crie, il rend
tout le monde fou. Pas étonnant
que la mère de Simon apparaisse
dans la salle de jeux. Elle est de
mauvaise humeur.

185

— Ça suffit ! J'ai besoin de calme ! Je dois travailler. Allez jouer dehors, maintenant !

— Je ne veux pas aller dehors, se plaint Mathis. Il fait trop froid !

— Tu n'as pas le choix, affirme sa maman d'une voix autoritaire. Vous sortez prendre l'air tous les trois.

Mathis s'accroche à ses jambes.

— Je n'aime pas jouer dans la neige ! Je veux rester avec toi ! S'il te plaît !

Maman s'impatiente. La sonnerie de son téléphone vretentit. Elle n'a pas le temps d'essayer de convaincre Mathis. Elle regarde Simon.

— Simon, occupe-toi de ton petit frère, ordonne-t-elle.

Simon est content : il va enfin pouvoir aller dehors construire un fort. Mais il est aussi embêté : il va *encore* être obligé de jouer avec son frère qui va rouspéter pour rentrer.

— Habillez-vous bien pour ne pas attraper un rhume !
conseille maman avant de

répondre au téléphone et de se lancer dans une conversation très sérieuse avec un client.

En sortant dans la cour, Mathis demande :

— Comment on attrape ça, un Rhume ? Avec un filet ?

Juliette et Simon rient. Attraper un rhume avec un filet ! C'est drôle, ça ! Simon se dit que son frère ne comprend vraiment rien ! Par contre, ça lui donne soudain une idée pour le convaincre de jouer dans la neige. Il fait un clin d'œil à Juliette et dit :

— Si on faisait un piège à Rhume ? On pourrait peut-être en attraper un !

— Bonne idée, approuve
Juliette.

— Attraper un Rhume?
demande Mathis. Comment on
va faire?

— Il faut faire un gros, gros
château de neige, explique
Simon. Comme ça, le Rhume
va se prendre les pattes dedans
quand il voudra venir nous
attraper.

Et ils se mettent tous les trois
à fabriquer un immense piège
à Rhume. Pendant qu'ils
construisent de grandes murailles
de neige, Mathis demande :

— C'est gros comment un
Rhume ?

— Énorme, répond Simon.

— C'est méchant ? s'inquiète
Mathis.

— Très méchant, assure Simon.

— Ça a combien de pattes ?
s'informe encore Mathis.

— Des centaines !

— Ça crie fort ? s'alarme
Mathis.

— Oui, ça rugit comme un lion !

Et Simon se met à rugir comme
un lion. Mathis est très
impressionné. Il se colle contre
Juliette. Il ne sait pas si son

grand frère s'amuse ou s'il dit la vérité. Au fond, il ne croit pas vraiment qu'un Rhume soit aussi gros et aussi terrible que le laisse entendre Simon. Il veut seulement lui faire peur. Heureusement que Juliette est là ! Mathis sait qu'elle ne l'abandonnera pas !

— Ne t'inquiète pas, Mathis, poursuit Simon. On va faire un très, très grand piège pour que le Rhume tombe dedans.

— Oui !

Mathis est soulagé. Il n'a plus peur quand il voit Juliette et Simon s'activer. Il les imite pour bâtir de très grands murs. Simon s'amuse bien. Il ne veut pas terroriser son petit frère, non. Il veut seulement s'assurer qu'il ne rentrera pas dans la maison dans dix minutes. Il ne veut pas que Juliette suive Mathis pour jouer à l'intérieur. La neige est trop belle ! Il veut rester dehors.

Les murs sont devenus plus hauts que Mathis.

— Regardez ! Je disparais dans le piège ! crie-t-il.

Juliette et Simon préparent des boules de neige.

— Si un Rhume arrive, nous allons lui faire peur !

— Moi, je vais crier plus fort que lui ! annonce Mathis. Il aura peur de moi.

Les enfants font une réserve de boules de neige. Ils en ont des dizaines et des dizaines.

— Avec ça, on va venir à bout du méchant Rhume qui rôde dans le quartier, c'est sûr, dit Simon.

Il remarque que son petit frère joue un peu moins, maintenant. Il a perdu son entrain.

— Ça va, Mathis ?

Mathis sourit faiblement.

— J'ai un peu froid, finit-il par avouer. Mais je ne veux pas que le Rhume nous attaque !

Simon s'approche de son frère.
Il a les lèvres un peu bleues et
claque des dents.

— Mais… tu es tout trempé !

— C'est parce que… je ne
trouvais pas mes bottes ni mes
mitaines. J'ai mis mes souliers et
mes gants en laine. Et… tu étais
tellement pressé de sortir ! Je ne
voulais pas que tu me laisses
tout seul !

Simon se sent mal à l'aise, tout à coup. Il aurait dû remarquer que Mathis était mal habillé! Qu'il grelottait! Et dire que sa mère comptait sur lui pour le surveiller! Comment va-t-il lui avouer qu'il avait trop hâte de sortir pour vérifier les vêtements de son frère?

— Viens, Mathis, on rentre à la maison.

— D'accord, dit Mathis, d'une petite voix qui ne ressemble pas à sa voix normale.

Une fois dans la maison, Simon s'empresse d'enlever les gants trempés et les chaussures humides de son frère.

— Et le Rhume? demande Mathis. On n'a pas fini de construire notre piège! On ne réussira jamais à l'attraper!

— Ne t'inquiète pas, dit Simon. On va en attraper un.

Juliette lui fait de gros yeux:

— C'est sûr qu'*il* va en attraper un!

— Chut! supplie Simon. Je ne veux pas que ma mère nous entende!

Il a l'air penaud et Juliette comprend qu'il se sent mal.

— Bon, d'accord. Tu veux un chocolat chaud, Mathis? Mon père m'a donné une boîte de sachets et des biscuits au beurre pour la collation. Ça te fera du bien.

Le petit approuve d'un hochement de tête. Il se sent un peu mieux, maintenant. Son grand frère est si gentil, tout

d'un coup ! Il lui a même
apporté son pyjama préféré
et une couverture chaude.
Tandis que Juliette et Simon
activent la bouilloire
automatique pour réchauffer
l'eau des chocolats chauds,
Mathis regarde par la fenêtre du
salon. Il ne voit pas de Rhume
dans le piège. Mais il ne sait pas
vraiment à quoi ressemble un
Rhume. Simon ne le lui a pas

bien décrit. Plusieurs pattes ?
De quelle couleur ? Peut-être le
Rhume est-il blanc comme la
neige ? Peut-être Mathis ne le
verra-t-il pas approcher ? Il va
verrouiller la porte pour être
certain qu'il n'entre pas dans
la maison.

Simon et Juliette reviennent,
les bras chargés. Simon tend
une tasse fumante à Mathis :

— Je l'ai fait juste un peu chaud. Tu ne vas pas te brûler.

— Et goûte à ces biscuits ! ajoute Juliette. Mes préférés !

— Merci, mais je n'ai pas très faim.

De la main, Mathis repousse la tasse et les biscuits. Simon hoche la tête. D'habitude, son petit frère est très gourmand ! Il dévore tout comme un loup !

— Simon… ? demande Mathis.
Le Rhume, c'est un peu comme
le yéti ? Tu sais, le monstre
des neiges ?

Simon soupire.

— Mais non, Mathis. En fait…
je faisais des blagues. Il n'y a
pas de monstre appelé Rhume.
Le rhume, c'est une maladie
qu'on attrape quand on
prend froid.

Mathis secoue la tête.

— Tu dis juste ça pour que je n'aie plus peur ! Je sais que le Rhume existe ! C'est un gros monstre avec plein de pattes ! Gros comme ça !

Il élargit ses petits bras le plus possible et dit :

— Tu me dis ça parce que tu veux le capturer tout seul! C'est ça, hein? Tu ne veux pas que j'attrape un Rhume! Tu penses que je suis trop petit.

Simon soupire de nouveau.

— Si tu attrapes un rhume, Mathis, ça voudra dire que tu es malade. Et, non, je ne veux pas que tu sois malade.

Mathis frissonne. Il n'écoute plus ce que dit son grand frère. Il ne se sent pas très bien. Il veut voir sa maman, même si elle travaille. Simon, lui, boit son chocolat chaud en silence. Il a peur que sa mère se fâche contre lui.

— Maman ! appelle finalement Mathis.

— Qu'est-ce qui se passe ? Vous ne jouez plus dehors ?

Maman est arrivée dans le salon.

— Je ne me sens pas bien, gémit Mathis.

Maman se penche vers lui et lui touche le front.

— Tu es un peu chaud. On dirait que tu as attrapé un gros rhume ! annonce-t-elle.

Soudain, Mathis sourit. Il est tout content. Il a les yeux humides et le front chaud, mais il est très fier de lui. Il a réussi à attraper un Rhume! Sans piège! Tout seul! Il regarde à droite, à gauche, il ne voit rien de très inquiétant. Finalement, les rhumes ne sont pas si méchants. Il ferme les yeux et s'endort presque aussitôt. Dans son rêve, il galope sur le dos d'une créature à mille pattes qui rugit comme un lion. Dans son rêve, il réussit à apprivoiser son Rhume !

Juliette veut une trottinette

Aujourd'hui, c'est l'anniversaire de Simon. Il a huit ans. Tous ses meilleurs amis de l'école sont venus chez lui et ils font la fête. Ils sont douze en tout ! Samuel, le grand frère de Simon, a organisé une super chasse au trésor et ses parents ont acheté une piñata géante en forme de superhéros. C'est vraiment bien, même si ses grands-parents ont l'air de trouver les enfants bien bruyants! « Plus on s'amuse, plus on crie », explique Simon aux adultes. Et personne ne le contredit. C'est sa fête, et il est le roi du jour! Il peut faire ce qu'il veut. Quel bonheur! Mais ce qui est encore mieux, c'est que Juliette a eu la permission de dormir chez Simon pour la première fois.

Une fois la fête terminée, Simon et Juliette jouent avec tous les cadeaux offerts par les invités : une auto télécommandée, un jeu de fléchettes, de la peinture et des crayons et, surtout, une belle trottinette. Simon l'a reçue de ses grands-parents. Dès le départ du dernier invité, Juliette s'empare de la trottinette et roule très vite dans la rue. Elle s'amuse beaucoup avec la trottinette ! Elle avance, elle freine, elle avance vite, de plus en plus vite.

— C'est génial, une trottinette ! dit-elle.

Elle s'amuse tellement qu'elle ne remarque pas que Simon, lui, ne s'amuse plus. Il attend qu'elle ait fini. Il attend qu'elle lui rende *sa* trottinette. Mais puisque Juliette ne la lui donne pas, Simon se fâche :

— Juliette ! Rends-moi ma trottinette !

— Pas tout de suite !

— C'est ma trottinette !

— Prête-la-moi encore un peu !

— C'est ma trottinette et c'est ma fête ! Rends-moi mon cadeau !

— Attends !

D'habitude, Juliette et Simon
ne se chicanent pas. Ils sont les
meilleurs amis. Par contre, cette
fois-ci, ils ne s'entendent pas.

— Rends-moi ma trottinette,
répète Simon.

— Pas tout de suite !

Impatient, Simon finit par
attraper la trottinette pendant
que Juliette est en plein élan.

Paf! Elle s'écrase par terre et s'érafle le genou. Elle ne veut pas pleurer, mais elle sent des larmes couler sur ses joues. Elle s'est fait mal au genou, mais ce qui la fait pleurer, c'est qu'elle n'a pas de trottinette. Que va-t-elle faire pendant que Simon va se promener? Comment pourra-t-elle s'amuser? Une trottinette, c'est impossible à partager!

Tout à coup, Juliette se sent un peu jalouse. Elle s'assoit sur le trottoir et boude. Elle n'est plus trop sûre de vouloir rester dormir chez Simon. Elle a plutôt envie de rentrer chez elle. Heureusement, le grand frère de Simon arrive et propose de faire une course à vélo. Juliette accepte aussitôt. Comme c'est amusant! Samuel est un vrai pro! Juliette enfourche son vélo et elle pédale le plus vite qu'elle peut à côté de lui. Derrière eux, Simon trotte très vite, mais il n'arrive pas à les rejoindre. Il rit aussi. Ils s'amusent tous beaucoup et Juliette a retrouvé sa bonne humeur.

Le lendemain, par contre,
Juliette n'a qu'une idée en tête.

— Maman, je veux une
trottinette, supplie-t-elle.

— Demandes-en une pour ton
anniversaire, suggère sa mère.

— Quoi ? Mais mon
anniversaire, c'est bien trop
loin ! J'en veux une maintenant !
S'il te plaît, maman !

— Tu sais, Juliette, répond sagement sa maman, on ne peut pas toujours tout avoir tout de suite.

— Mais s'il te plaît ! insiste la fillette.

— Pas maintenant, Juliette, répond sa mère d'un ton très ferme. Ça ne sert à rien d'insister.

Quand elle comprend que sa mère n'acceptera pas de lui donner une trottinette, la fillette va voir son père au dépanneur. Il est en train d'étiqueter des boîtes de riz. Elle farfouille autour de lui, fredonne une chanson, fait du bruit, jusqu'à ce qu'il lui demande :

— Qu'est-ce que tu fais ici, Juliette ? Tu as quelque chose à me demander ?

Son père sait tout de suite lorsque Juliette veut une faveur.

— Papa, j'aimerais avoir une trottinette comme celle de Simon !

Même si Juliette parle avec beaucoup de ferveur, elle est sûre que son père dira non. Tout comme sa mère. Dans sa tête, elle prépare déjà des arguments. Elle leur promettra d'être toujours gentille! De ne jamais faire de chichi! De toujours laver ses mains avant de manger! Si elle a une trottinette, elle est prête à se passer le fil dentaire sans rouspéter !

Son père réfléchit tout en continuant à travailler. Tout à coup, à la grande surprise de Juliette, il laisse son travail de côté et lui fait signe de s'asseoir sur le tabouret. Il la regarde, l'air très sérieux.

— Tu aimerais vraiment avoir une trottinette ? lui demande-t-il.

Juliette agite la tête avec enthousiasme.

— Oh oui, papa ! Plus que tout !

— Tu sais, quand j'avais ton âge, je voulais une bicyclette.

— Et tes parents te l'ont donnée ?

— Non.

Juliette soupire. Elle sent que son père va lui expliquer que s'il n'a pas eu de bicyclette, elle ne peut pas avoir sa trottinette. Elle pense à ce que sa mère lui a dit. Elle demande tout de même :

— Tu n'as pas eu de bicyclette du tout ? Même pas à ta fête ?

— Non.

— C'est vraiment triste. Moi, si j'avais été tes parents, je te l'aurais donnée, ta bicyclette.

Papa rigole.

— Mais tu sais, Juliette, j'ai fini par avoir une bicyclette.

Le visage de Juliette s'éclaire.

— C'est vrai? Tes parents ont changé d'idée?

— Non. J'ai dû travailler pour l'obtenir.

— *Travailler?*

Juliette fronce les sourcils.

— Eh oui.

— Ça veut dire que… tu veux que je travaille pour m'acheter une trottinette ?

— Pourquoi pas ?

— Mais je suis trop petite ! Je ne sais pas travailler !

— Tu peux apprendre.

Juliette fait une grimace.

— Si on faisait une entente, propose papa. Tu travailles pour gagner vingt dollars. Et je paye le reste du coût de ta trottinette.

— Vingt dollars? C'est beaucoup! Comment je vais faire?

— Tu pourrais rendre des services. Par exemple, promener le chien du voisin ou ramasser des bouteilles vides. Tu vas voir. Ce n'est pas si difficile!

Juliette n'est pas convaincue. Mais elle est prête à tout pour avoir sa trottinette! Vite, elle appelle Simon. À deux, ça ira deux fois plus vite! Simon accepte de l'aider. Ils décident de ramasser les bouteilles vides. Dans le garage de Simon, ils trouvent douze bouteilles et vingt canettes vides.

— Ça nous fait déjà deux dollars vingt, calcule Simon.

Juliette n'arrive pas à prendre toutes les bouteilles et les canettes dans ses bras.

— Il nous faut quelque chose pour transporter tout ça !

Simon regarde autour de lui. Il aperçoit la vieille poussette de son petit frère.

— Mathis ne va plus dans sa poussette, maintenant. On pourrait s'en servir comme charriot.

— Super !

Les deux enfants empilent les bouteilles dans la pochette de rangement sous la poussette. Ils mettent les cannettes sur le siège. Il reste encore beaucoup de place, alors ils décident d'aller sonner chez les voisins. Ça tombe bien! La maman d'Antonin a quelques bouteilles dans son bac de recyclage. Quant à monsieur Pailleur, il s'apprêtait justement à aller les porter au dépanneur. Il les cède avec plaisir à Simon et à Juliette.

— Si vous revenez plus tard, pourriez-vous promener Facteur?

Facteur, c'est le chien de monsieur Pailleur. Il porte ce nom parce qu'autrefois, il y a très longtemps, monsieur Pailleur était facteur. Mais aujourd'hui, il est trop vieux pour marcher longtemps, ses os sont trop usés. Le problème, c'est que son chien Facteur n'aime pas non plus marcher... Il préfère courir! Monsieur Pailleur n'en peut plus. Il serait heureux d'avoir un peu d'aide.

— Nous reviendrons tout à l'heure, promettent en chœur Juliette et Simon.

Ils s'emparent des bouteilles de monsieur Pailleur. Il n'y a plus beaucoup de place dans la poussette, alors Simon et Juliette poussent pour tout faire rentrer. Ils y arrivent après beaucoup d'efforts. La poussette a une drôle d'allure. Elle déborde de tous les côtés! Avant d'aller au dépanneur, Juliette et Simon décident d'arrêter à l'école, même si c'est une journée pédagogique. Peut-être y a-t-il quelqu'un! Ils arrivent au moment où Luc, le concierge, sort le recyclage.

— Fouillez là-dedans, dit-il. Il y a toutes les cannettes jetées par les enseignants.

Dans le grand bac, les enfants repèrent des dizaines de cannettes. Vite, ils ramassent tout. Le problème, c'est qu'il n'y a plus assez de place dans la poussette. Alors, Simon écrase les cannettes, tandis que Juliette aligne les bouteilles.

— On en a pour sept dollars soixante, jubile Juliette.

— On est riches ! s'exclame Simon, qui s'imagine déjà propriétaire d'un château au bord de l'eau.

— Euh… Sept dollars soixante, ce n'est pas tant que ça.

Juliette connaît bien les chiffres, elle voit toujours son papa compter.

— Ce n'est pas tant que ça, mais c'est mieux que rien ! ajoute-t-elle, confiante.

— Il nous manque juste douze dollars quarante, remarque Simon. Vite, allons porter tout ça au dépanneur !

Tout énervé, Simon empoigne la poussette et s'élance en courant vers le dépanneur. Il ne regarde pas où il va. Et alors… Paf! Il trébuche sur une bosse du trottoir et perd l'équilibre. Pour ne pas s'effondrer, il s'accroche à la poussette. Juliette voit la poussette basculer, puis se renverser complètement. Elle entend les bouteilles se casser.

Gling ! Glang ! Ça fait un boucan d'enfer. Juliette accourt vers son ami.

— Simon, est-ce que ça va ? demande Juliette en constatant les dégâts.

Simon ne s'est pas fait mal. La poussette, par contre, est toute cassée. Une des roues a cédé. Et les bouteilles... les bouteilles ont éclaté en mille morceaux.

— Tu penses que ton père va quand même les prendre ? demande Simon, l'air piteux.

— Je ne crois pas, soupire Juliette.

Elle est découragée. Il faudra tout recommencer. Et comment ramasser les débris ? Ils vont se couper avec le verre ! Juliette a

une boule dans la gorge. Elle se
demande quoi faire.

— On dirait que vous avez
besoin d'aide !

Juliette se retourne. C'est Luc,
le concierge. Il a apporté une
pelle, un balai et un sac vert.

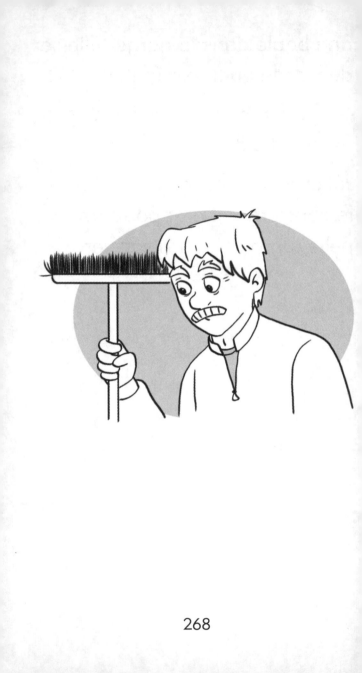

Tandis qu'ils ramassent tout,
Juliette raconte son histoire. Ça
la soulage, mais elle est encore
triste. Elle espérait ramasser
vingt dollars en une journée !
Le concierge l'écoute
attentivement.

— Tu sais, Juliette, j'ai peut-être
une idée…

Les yeux de Juliette s'éclairent.

— Quoi ?

— Je te le dirai plus tard. En
attendant, puisque vous êtes là,

les enfants, vous pouvez me donner un coup de main.

Du menton, il leur indique des pots de fleurs.

— Vous voyez tous ces bacs à fleurs ? demande le concierge.

— Oui.

— Je dois les planter devant l'école avant cinq heures. Si vous m'aidez, je le dirai à ton père, Juliette. Je suis sûr qu'il sera content.

Alors, Juliette et Simon aident le concierge. Quand ils ont fini, ils retournent voir monsieur Pailleur. Ils ont promis de promener Facteur! Après une demi-heure, ils reviennent. Monsieur Pailleur les remercie, mais ne leur donne pas d'argent. Il se contente de répéter :

— Vous m'avez rendu un grand service, les enfants !

Juliette rentre à la maison penaude. Dans son sac à dos,

elle a quelques cannettes, récupérées dans les débris. Mais ses vingt dollars ? Elle est loin de les avoir !

Cependant, une énorme surprise l'attend.

Dans le jardin, Juliette aperçoit une jolie trottinette bleue.

— C'est à qui ? demande-t-elle.

— À ma fille chérie, répond son père en souriant. Je suis fier de toi, ma Juliette ! Tu as aidé les

gens sans penser seulement
à l'argent !

— Mais… comment tu sais ?

— Le concierge est passé. Il m'a
dit que tu étais très travaillante.
Et il t'a apporté cette trottinette
pour te remercier. Elle était à
son fils, mais il est grand,
maintenant. Il ne l'utilise plus.

Juliette est ravie. Aujourd'hui,
elle n'a pas seulement gagné
une trottinette. Elle a appris que
l'entraide, ça n'a pas de prix !

Simon veut un chaton

Ça faisait vraiment très longtemps que je demandais à mes parents d'avoir un animal de compagnie. Presque tous mes amis en ont un. Théo a un hamster, Léa a un poisson rouge, Victor a une perruche et Marianne a même un lézard! Sauf que chaque fois que j'essayais de convaincre mes parents, c'était toujours la même histoire. Ma mère s'énervait:

— Simon, je n'ai pas le temps de ramasser les crottes d'une bestiole! Tu auras un animal quand tu seras assez grand pour t'en occuper!

— Mais je suis assez grand !

— Ah oui ? Si tu es assez grand, prouve-le ! Commence par faire le ménage de ta chambre et vider le lave-vaisselle.

— Mais…

— Un grand, ça prend des responsabilités.

— Mais Samuel, lui, il ne fait rien ! Et Mathis non plus !

Il n'en fallait pas plus pour que mes frères s'en mêlent.

— Pas vrai ! grognait toujours Samuel.

— Pas vrai ! hurlait Mathis.

— Arrêtez de crier! criait alors ma mère.

— Mais qu'est-ce qui se passe dans cette famille? demandait finalement mon père, l'air ahuri, comme s'il ne savait pas exactement ce qui se passait dans sa *propre* famille.

Chez nous, c'est comme ça.

Tout le monde parle toujours trop fort et je n'arrive jamais à convaincre mes parents que j'ai raison. En plus, ils n'ont qu'un mot à la bouche, mes parents : « res-pon-sa-bi-li-tés ». Et un animal domestique, pour eux, ce n'est pas une belle petite boule de poils sympathique. Non. C'est une tâche qui s'ajouterait à la longue liste de tâches quotidiennes qu'ils n'arrivent jamais, jamais, jamais à terminer. Alors…

— Non, c'est non.

Sauf que l'autre jour, il est arrivé quelque chose de vraiment bizarre.

Premier élément bizarre : le téléphone s'est mis à sonner sans arrêt à l'heure du souper.

Papa n'était pas content. Il n'aime pas qu'on nous dérange

durant le seul moment où nous sommes assis les cinq ensemble. Là, il était justement en train de nous proposer une activité pour le samedi suivant.

— On ne répond pas, a dit maman. Si c'est important, ils laisseront un message.

Le téléphone a sonné. Encore et encore. À la vingt-deuxième sonnerie, Samuel s'est levé et il a attrapé l'appareil : « Ça doit être un fou ! Je vais lui dire d'arrêter de nous embêter ! » Après trente secondes, il est revenu dans la salle à manger et m'a lancé d'un ton moqueur :

— Ce n'est pas un fou; c'est Juliette au téléphone. Ton amoureuse!

Je déteste quand mon frère dit ça! J'ai riposté:

— Ce n'est pas mon amoureuse! C'est mon amie!

Je lui ai arraché l'appareil des mains et je me suis enfermé dans les toilettes pour parler tranquillement. Dans la salle à manger, mon père a rouspété:

— Fais ça vite, Simon! Ton souper va devenir froid!

J'ai fait un grand «Oui, oui», mais j'étais beaucoup plus

intéressé par ce que Juliette avait à me dire que par mon repas en train de refroidir. Si Juliette m'appelait à l'heure du souper, c'est que quelque chose de très important était arrivé.

— Qu'est-ce qui se passe ? ai-je demandé, un peu inquiet, mais surtout très intrigué.

— On a plein de chatons ! s'est exclamée Juliette d'une voix si forte que j'ai dû éloigner l'appareil de mon oreille.

J'ai répété :

— Des chatons ?

Au bout du fil, mon amie était tout énervée. Elle parlait vite, très vite, et s'est mise à me raconter qu'un peu plus tôt dans la journée, son père avait entendu de drôles de bruits juste à l'extérieur du dépanneur. Comme un bruit de frein usé ou de porte qui ferme mal. Et là, quand il était sorti voir de quoi il s'agissait, il avait aperçu une boîte de carton… remplie de petits chatons ! Quatre chatons abandonnés !

— Quelqu'un a dû les laisser là en se disant qu'on les verrait et qu'on s'en occuperait! a supposé Juliette. Avec tous les va-et-vient qu'il y a au magasin, c'était sûr que la boîte allait être trouvée rapidement.

«Quelle chance elle a, Juliette! ai-je pensé. Il s'en passe des choses, au dépanneur. Ce n'est pas devant ma porte qu'on abandonnerait des petits minous!»

— Tu peux venir les voir?

J'ai regardé l'heure sur ma super montre qui indique même les secondes. Six heures trente-huit minutes et vingt-quatre secondes. Je n'étais pas certain que mes parents me laisseraient sortir, mais peut-être que, si je finissais très vite mes croquettes de poisson, ils m'autoriseraient à aller voir les chatons.

De retour à table, j'ai vidé mon assiette à la vitesse grand V.

— Qu'est-ce qui se passe, mon Simon ? D'habitude, tu détestes le poisson !

Ma mère s'est approchée de moi, comme si elle croyait trouver de la nourriture cachée sous l'essuie-tout que j'avais posé dans mon assiette une fois mes croquettes terminées. J'ai avancé l'assiette et j'ai ouvert la bouche.

— Regarde, il ne reste plus rien ! J'ai tout mangé.

Elle était très impressionnée. J'ai profité de l'occasion pour lui demander :

— Est-ce que je peux avoir une permission spéciale, maintenant ?

Elle a souri.

— Je me disais bien que tu ne pouvais pas avoir changé en l'espace de cinq minutes!

— Tu veux aller rejoindre ton amoureuse, c'est ça? m'a taquiné mon frère.

J'ai serré les dents et j'ai grogné:

— Ce n'est pas mon amoureuse!...

— Les garçons, pas de chicane! a prévenu papa. Alors, Simon, tu vas nous dire ce qui t'a fait manger ton poisson si rapidement?

— C'est Juliette !

— Je le savais ! a lancé mon frère, victorieux.

Je me suis senti rougir. Qu'est-ce qu'il m'énerve, Samuel !

— Non, enfin, ce n'est pas Juliette, mais… Quelqu'un a déposé une boîte avec quatre chatons devant le dépanneur ! Je voudrais aller les voir !

En entendant ça, mon petit frère a arrêté de jouer avec ses brocolis. Ses yeux sont devenus ronds comme des billes.

— Des chatons ? J'en veux un !

Il a regardé maman, puis papa :

— On peut en rapporter un à la maison ? Allez, dites oui !

Mes parents ont soupiré et ont répondu en même temps :

— Non.

Mathis s'est mis à taper sur la table et à pleurnicher :

— Je veux un chaton ! Juliette en a quatre. Ce n'est pas juste ! Moi, j'en veux juste un !

Ma mère m'a lancé un regard furieux, comme si j'étais responsable de la crise de mon frère. Je m'apprêtais à me défendre, quand le **deuxième élément bizarre** est arrivé. Au lieu de se fâcher, papa a suggéré :

— Je dois justement acheter du pain pour demain matin. Si vous voulez, les enfants, on va aller voir les chatons de Juliette ensemble.

Soudain, mon petit frère est redevenu de bonne humeur et il a essuyé ses larmes.

— Youpiiiiiiii !

Moi aussi, j'étais très content.
Si papa acceptait d'aller voir les
chatons, c'était peut-être parce
qu'il voulait… Non ? Je n'osais
pas y croire ! Mon père voulait
peut-être… adopter un chaton !

Malheureusement, mes espoirs
ont été de courte durée.

— Il y a une condition, a ajouté
mon père.

— Je le savais, a dit Samuel en
piochant dans son repas en
grimaçant. Il y a toujours des
conditions, avec les adultes !

Mon père a croisé les bras.

— On va voir les chatons à la seule condition que PERSONNE ne me demande d'en rapporter un à la maison. Est-ce que c'est compris, Mathis?

— Même pas un tout petit? a insisté mon frère.

— Même pas un tout petit. Est-ce que c'est compris, Simon?

Nous avons baissé la tête, déçus.

— Oui, oui...

— Et toi, Samuel?

Au lieu de répondre, mon frère a grogné. Lui aussi, il aurait bien voulu un chat. C'est son animal préféré parce qu'il est très indépendant et qu'il ressemble à un lion miniature – comme Samuel.

On est partis tous les cinq, Mathis sur les épaules de papa, même si maman dit toujours qu'il est trop grand pour ça. Samuel marchait devant nous, comme d'habitude, parce qu'il a de grandes jambes et qu'il aime être le premier partout, peu importe la situation. Après quatre-vingt-dix-sept pas, on est arrivés au dépanneur. Plusieurs clients entouraient Juliette. En m'approchant, j'ai vu qu'elle tenait dans ses bras un chaton noir, avec un minuscule museau rose. Il était tellement adorable que même maman n'a pas pu retenir un cri.

— Comme il est joli !

Le petit noiraud était beau, mais celui qui me plaisait le plus était un chaton tigré, blanc et gris, qui somnolait au fond de la boîte. Il ressemblait à un zèbre, avec ses rayures ! Dès que je l'ai caressé, il s'est mis à ronronner. Et quand j'ai arrêté, il a poussé un faible miaulement, comme pour me dire : « Non, ne t'en va pas ! » J'ai recommencé à le flatter et il s'est remis à ronronner, encore plus fort. J'ai tout de suite senti qu'il y avait quelque chose de spécial entre lui et moi.

— Allez, les enfants, a finalement dit papa. C'est le temps de rentrer.

Mathis a supplié :

— On ne peut pas rester un peu encore ?

Mais papa a regardé l'heure. Il se faisait tard. J'ai caressé une dernière fois le cou du petit chaton et je lui ai chuchoté :

— Je vais revenir bientôt, Petit Zèbre !

Comme s'il me comprenait, Petit Zèbre a ouvert les yeux et a miaulé tout doucement. Lui aussi, il avait l'air triste.

Sur le chemin du retour, je n'ai pas dit un mot. J'ai même oublié de compter les pas. J'avais une seule idée en tête : retrouver *mon* chaton le plus rapidement possible. Évidemment, mes parents ne l'entendaient pas ainsi. Quand je leur en ai parlé au moment de me coucher, ils ont été aussi catégoriques que d'habitude.

— Je comprends que tu les trouves mignons, ces chatons.

Mais je ne veux pas d'animaux ici, Simon, a dit maman.

Après son départ, au lieu de compter les moutons, j'ai essayé de trouver le sommeil en comptant les chatons. Pourtant, j'ai mis beaucoup de temps à m'endormir. J'étais triste et j'avais envie de pleurer. J'aurais tellement voulu avoir Petit Zèbre avec moi !

Ce n'est que le lendemain que j'ai pris une décision qui allait changer ma vie et celle de Petit Zèbre. Quand Juliette m'a annoncé à la récréation que ses parents allaient porter les chatons à la Société protectrice des animaux, qui les donnerait en adoption, j'ai conçu un plan.

Je rapporterais Petit Zèbre chez moi en cachette.

Je ne pouvais pas tolérer l'idée que quelqu'un d'autre que moi l'adopte! Et s'il tombait sur un méchant maître? Non, je ne pouvais pas laisser ça arriver!

— Bonne idée, a dit Juliette, qui est toujours partante pour vivre de nouvelles aventures. Je vais t'aider!

C'était peut-être une bonne idée, mais j'aurais de la difficulté à réaliser mon plan, même avec la collaboration de mon amie. Mes parents ne me laisseraient jamais aller seul chez Juliette. Alors, comment rapporter Petit Zèbre ? Il n'y avait qu'une solution : demander de l'aide à mon frère. Mais s'il y a une chose que mon frère déteste, c'est bien me rendre service ! Il n'accepterait jamais ! Sauf que là, le

troisième élément bizarre est arrivé. Dès que je lui ai raconté que j'enlèverais Petit Zèbre et que j'avais besoin de lui pour aller au dépanneur, à mon grand étonnement, Samuel a accepté. Lui aussi, il avait été attendri par les chatons. Et il craignait autant que moi le sort qui les attendait si on les donnait à la Société protectrice des animaux. Si on pouvait en sauver un, ce serait déjà ça de pris !

Ce soir-là, papa et maman ont été très surpris quand on s'est portés volontaires, Samuel et moi, pour aller chercher du lait au dépanneur. Il faisait froid dehors et, d'habitude, on refuse de sortir dans ces conditions-là.

On était motivés.

On mettrait notre plan secret à exécution.

Une fois arrivés au dépanneur, il a été facile de prendre Petit Zèbre et de le glisser sous mon

manteau. Le père de Juliette était en grande conversation avec un client. Ils parlaient de hockey et la seule chose qui les intéressait était de prédire quelle équipe gagnerait la prochaine partie.

— Dépêchez-vous, répétait tout de même Juliette.

Elle n'avait pas envie de se faire prendre en plein enlèvement de chaton. On est partis au pas de course. Près de mon cœur, je sentais la chaleur de Petit Zèbre. On l'avait sauvé.

Ce n'est qu'en arrivant à la maison qu'on a réalisé qu'on

avait oublié d'acheter du lait. Papa a ronchonné. Maman a soupiré. Mais Samuel et moi, on avait déjà filé dans notre chambre. Il ne fallait surtout pas que nos parents remarquent la petite boule de poils qui venait d'y entrer et qu'on a vite fait de cacher dans le fond de la garde-robe, sur une couverture.

Ce soir-là, on a été des anges : pas de chicane, pas de chichis, on a mis notre pyjama et brossé nos dents sans rouspéter.

Ce soir-là, je me suis endormi avec Petit Zèbre sous les couvertures.

Ce soir-là, j'étais le plus heureux des petits garçons.

Le lendemain, par contre, les choses se sont gâtées. Dès que je me suis réveillé, j'ai constaté que Petit Zèbre avait disparu.

— Petit Zèbre?

Je l'ai appelé.

Je l'ai cherché.

Je ne l'ai pas trouvé.

— Samuel?

Mon frère dormait encore. J'ai descendu les marches sur la pointe des pieds, en regardant partout. Mon chaton ne pouvait pas être loin. Dans la cuisine, j'ai sursauté en apercevant maman. Qu'est-ce qu'elle faisait debout?
Il était seulement six heures trente-huit!

— Tu peux me dire ce qu'il fait ici, lui?

Et là, j'ai réalisé qu'elle tenait dans ses bras une drôle de petite créature tigrée.

Petit Zèbre.

J'ai hésité. Qu'est-ce que je pouvais bien répondre, maintenant que ma mère avait découvert mon secret? Elle allait certainement se fâcher et rapporter Petit Zèbre au dépanneur! Je ne le reverrais plus jamais! J'ai éclaté en sanglots.

— Maman! Si on le laisse partir, on ne sait pas ce qui va lui arriver! Et… je veux le sauver! Je l'aime, Petit Zèbre!

— Petit Zèbre?

— C'est son nom…

Ma mère a déposé le chaton par terre et elle a poussé un très long soupir avant de boire une gorgée de son café en grimaçant. Je ne savais pas trop ce qui la décourageait le plus : boire son café noir, parce que Samuel et moi, on avait oublié d'acheter du lait, ou trouver un chaton dans la maison. Petit Zèbre est venu me retrouver et il s'est frotté contre moi en ronronnant. J'ai jeté un coup d'œil à ma mère. Elle était peut-être attendrie par ce qui se passait. Mais elle le m'a tourné le dos en disant :

— Je vais aller chercher du lait à l'ouverture du dépanneur, à huit heures. Je vais rapporter le chaton à ce moment-là.

J'ai serré Petit Zèbre dans mes bras. Je ne pouvais pas croire que ma mère allait nous séparer !

Ce jour-là a été l'un des pires de ma vie. Quand je suis parti pour l'école, à huit heures douze, maman n'était toujours pas de retour. Elle avait emporté Petit Zèbre et, même si on pleurait tous, Mathis, Samuel et moi, nos parents ont été intraitables : pas d'animaux à la maison. Toute la journée, j'ai pensé à mon retour. Je savais que Petit Zèbre aurait disparu. Juliette a augmenté mon chagrin en m'avouant :

— Mon père va aller porter les chatons cet après-midi… Mais

ne t'inquiète pas, Simon! Petit Zèbre va se trouver une belle maison!

J'avais une grosse boule dans le ventre. Je ne me sentais pas bien. La maison de Petit Zèbre, c'était chez moi!

À cinq heures, quand papa est venu nous chercher après le travail, on l'a suivi tous les trois sans dire un mot. D'habitude, les retours à la maison sont très joyeux et tout le monde parle en même temps pour raconter sa journée. Pas cette fois-là. Papa avait beau essayer de nous changer les idées, de nous proposer des choses intéressantes à faire pendant la soirée, rien ne fonctionnait. On était tristes. Quand il a déverrouillé la porte, Mathis a murmuré « Pauvre Petit Zèbre !... » et je me suis retenu pour ne pas pleurer. Papa a ouvert la porte. Et alors là...

Surprise !

Maman était debout dans
l'entrée, comme si elle nous
attendait depuis un bout de
temps. J'étais surpris : en
général, maman ne rentre pas
avant six heures. Mais ce qui
m'a le plus surpris, c'est qu'elle
tenait dans ses bras la
couverture que j'avais placée
dans le fond de ma garde-robe.
Quelque chose gigotait à

l'intérieur. Pendant une fraction de seconde, j'ai pensé que c'était le petit frère ou la petite sœur de Juliette qui était né. Mais ça ne se pouvait pas : qu'est-ce que le bébé aurait fait chez nous ? Je n'ai pas eu à me poser des questions très longtemps. Mathis s'était déjà précipitée sur ma mère et criait : « Petit Zèbre ! » Il avait compris. Petit Zèbre était revenu. Mieux :

il n'était jamais vraiment parti. Maman a fait un drôle de sourire à papa et là, le **quatrième élément bizarre** est arrivé, et c'était vraiment le plus bizarre de tous les éléments bizarres des deux derniers jours. Maman s'est approchée de papa et elle lui a demandé, avec une voix qui ressemblait à celle de mon petit frère quand il veut un jouet ou des bonbons :

— On peut le garder, finalement? Il est tellement mignon!

Je n'en revenais pas! Ma mère, attendrie par un chaton! Mon père a secoué la tête en soupirant. Quand il a dit: « Ne comptez pas sur moi pour changer la litière », j'ai su qu'on avait gagné.

On garderait Petit Zèbre!

Juliette
et le bébé

Avoir des parents commerçants, ce n'est pas tous les jours évident. Je me dis souvent ça la fin de semaine, quand mon père et ma mère travaillent. Parfois, ils se lèvent même avant moi et sont déjà en bas, au magasin, quand je mets les pieds hors du lit. Ils n'ont pas le choix : le dépanneur est ouvert sept jours sur sept. C'est écrit en grosses lettres sur la vitrine : DÉPANNEUR 8 h-22 h, 7 sur 7.

Comment réagiraient les clients si, un jour de paresse, mes parents décidaient de ne pas ouvrir ? Voyons, ce n'est pas possible ! Je vois mal mon père expliquer le lendemain :

— Oh, désolé, c'est que Juliette avait envie d'un dimanche à faire la grasse matinée avec nous et à bruncher jusqu'à midi. Alors, on a décidé de ne pas ouvrir le magasin hier matin. Tant pis pour vous !

Des histoires pour qu'un client enragé se mette à taper sur la porte en criant : « Je veux du laiiiiiiiiit ! » ou qu'une cliente énervée menace de casser la vitre si on ne lui donne pas son journal ! Non. Mes parents ne feraient jamais ça ! Ils répètent toujours qu'un client mécontent, c'est un client qui s'en va. Et ça, pour un commerçant, c'est le comble du malheur. Alors, tant pis pour les grasses matinées. Sauf pour maman. Depuis quelque temps, maintenant que son bedon est devenu aussi gros qu'un melon, elle reste longtemps au lit le matin.

Elle ne fait plus l'ouverture du dépanneur, comme à son habitude. Elle reste couchée. Elle ne dort pas très profondément, non, mais elle sommeille sous les couvertures ou rêve les yeux grands ouverts. Elle est dans la lune. C'est comme si elle vivait sur une autre planète. Des fois, quand je passe ma main sur son ventre rond comme un ballon, j'ai même l'impression qu'*elle* est devenue une autre planète.

La planète Maman est habitée par un petit extraterrestre qui se cache à l'intérieur, qui gigote et qui barbote, qui donne des coups quand je colle ma tête tout doucement contre la peau chaude.

L'autre jour, pendant que maman roupillait, j'ai dessiné un petit bonhomme vert avec plein de bras et de jambes. Quand ma mère a vu le dessin, elle m'a demandé :

— C'est qui ?

— Mon frère ou ma sœur.

Elle m'a caressé les cheveux. Elle a pris mon dessin et l'a accroché sur le frigo.

— Tu sais que je vais t'aimer autant quand il sera là.

— Je le sais.

— Est-ce que ça t'inquiète, ma belle Juliette ?

— Non. J'espère juste qu'il n'aura pas trop de jambes. Sinon, il risque de tomber tout le temps et je ne pourrai pas jouer au ballon avec lui.

Maman a ri et m'a fait un gros câlin. Elle a murmuré :

— On va bien s'amuser, tous les quatre.

Et le petit extraterrestre, dans son ventre, a donné un gros coup, comme pour dire qu'il était d'accord. J'ai ri :

— Bon, au moins, on dirait qu'il comprend le français. Tant mieux, je n'avais pas envie d'apprendre le martien, moi !

Évidemment, j'aurais quand même préféré que le bébé ne se pointe pas le bout du nez un dimanche. C'est le seul moment où mes parents acceptent que je passe toute la journée avec eux au dépanneur. Je sais que ça ne vaut pas une grasse matinée ou un déjeuner qui dure des heures et des heures, mais c'est quand même ma journée préférée.

Je descends à huit heures avec maman, qui s'installe à la caisse, j'ouvre un pot de betteraves et je lis un de mes magazines préférés en grignotant. Pendant ce temps-là, papa rentre des boîtes, classe la marchandise sur les étagères, nettoie les allées, remplit les frigos, fait l'inventaire. Depuis quelques semaines, depuis que maman est devenue si grosse qu'elle n'ose plus s'asseoir sur son tabouret habituel, papa me recommande :

— Tu surveilles ta mère, hein ? Je ne voudrais pas qu'elle se fatigue trop.

J'aime bien quand on me donne des responsabilités. Je sais que je suis bonne à aider. Alors, je prépare un jus pour maman ou je masse ses mollets tout enflés. Je la surveille et je prends soin d'elle. Maintenant que j'ai huit ans, je peux aussi donner un coup de main à papa pour presque toutes les autres tâches. Je suis forte et je compte très vite. Dans un dépanneur, c'est utile !

D'ailleurs, c'est parce que je compte bien que maman m'a

demandé de l'aider quand elle a commencé à avoir de grosses crampes. Les crampes des mamans enceintes, ça s'appelle des «contractions» et, quand ma mère a commencé à en avoir toutes les dix minutes, elle m'a envoyée chercher mon père. Heureusement qu'il n'y avait pas beaucoup de clients ce jour-là, même si c'était dimanche, parce que maman n'avait pas l'air de se sentir bien du tout. Et ça m'a pris un bon bout de temps avant de trouver papa. Il était dans la cave en train de remplir la chambre froide. Quand je l'ai retrouvé, il avait le visage tout rouge, à cause du froid et de l'effort. J'ai crié :

— Papa, vite ! Maman a des concractions !

— Des quoi ?

— Des cronctations !

— Quoi ?

Il a lâché la boîte qu'il tenait dans ses bras et m'a dévisagée sans comprendre de quoi je parlais.

— Maman! Elle a mal au ventre!

— Ta mère a des contractions?

— Oui! Dépêche-toi!

Papa a tout laissé en plan et il s'est précipité en haut. Maman avait l'air d'aller encore moins bien que quand je l'avais laissée. Elle respirait très fort. Mon père lui a parlé à voix basse. Je n'ai pas tout compris, mais je sais qu'il était question de taxi, de remplaçant et de gardienne. Il a finalement pris son téléphone pour appeler Jean, un ami qui remplace de temps en temps mes parents quand ils ne sont pas capables de travailler — ce qui n'arrive presque jamais. Le problème, c'est que Jean ne répondait pas.

— Zut, on aurait dû prévoir ça ! pestait papa.

— Appelle mes parents, a suggéré maman.

— Tes… ? Non, pas tes parents, quand même !

— Qui d'autre ? On ne va quand même pas demander à Juliette de prendre en charge le magasin toute seule! D'ailleurs, il faut bien que quelqu'un s'occupe d'elle!

Mon père avait l'air paniqué. Je ne sais pas si c'était à cause du bébé qui s'en venait ou à cause du dépanneur, mais c'est comme s'il n'arrivait plus à réfléchir calmement. Il était toujours rouge. Maman, elle, respirait aussi fort que si elle venait de courir un marathon, mais elle semblait avoir la situation en main. Finalement, c'est elle qui a appelé mamie et papi.

— Ils arrivent, a-t-elle déclaré entre deux grandes respirations.

Papa est allé chercher la valise d'hôpital de maman, qui était prête depuis longtemps, contrairement au reste. J'ai pensé au petit pyjama vert que j'avais choisi avec mes parents. Ce serait bizarre, quand même, de le voir revenir avec un bébé *dedans*. Je me demandais quelle tête aurait le petit extraterrestre. Mon père semblait inquiet. Il répétait tout le temps :

— Il est trois semaines en avance ! Trois semaines !

Je lui ai demandé :

— Est-ce qu'il va être correct, papa ?

— Oui, oui, bien sûr, Juliette.

Il essayait de me rassurer, mais il avait une grosse ride sur le front, comme quand il se fait du souci avec le magasin. Je sais qu'il avait un peu peur.

Quand mes grands-parents sont arrivés, papa a aidé maman à se glisser dans le taxi. Elle avait de la difficulté à marcher, et même à parler. Elle gémissait souvent. J'étais fâchée contre mon extraterrestre de frère ou de sœur! Ce bébé-là n'était pas encore sorti de sa cachette qu'il faisait déjà mal à maman! Ça commençait mal.

— On va être de retour très bientôt, ma chouette, a promis maman en me caressant la joue. Le bébé est pressé d'arriver! Je suis sûre qu'il a hâte de te rencontrer!

Elle m'a donné un bisou.

— À tout de suite, ma belle grande fille.

Papa, qui avait retrouvé de son calme habituel, a ajouté :

— Juliette, tu es officiellement nommée présidente du dépanneur. Je compte sur toi pour expliquer à mamie et papi comment fonctionne le magasin.

— Promis, papa !

J'étais très fière de mon nouveau titre. Présidente! À huit ans! C'était beaucoup de responsabilités, mais j'étais capable de les prendre. Mes parents pouvaient compter sur moi. Après tout, j'étais sur le point de devenir grande sœur!

Le seul problème, c'est que mes grands-parents n'étaient pas des employés modèles. J'avais beau être présidente, eux, ils n'en faisaient qu'à leur tête. Papi, que j'avais nommé responsable de la caisse, a regardé longtemps la machine avant d'oser appuyer sur un bouton. Il a penché la tête à droite, à gauche, comme si le mode d'emploi risquait d'apparaître tout seul.

— Tu veux que je te montre comment ça marche, papi ?

Il a rigolé :

— Non, non. Pas besoin de caisse. Moi, je préfère compter avec une calculatrice. Je vais laisser l'argent de côté et ton père le classera après.

J'ai rouspété :

— Papa n'aime pas qu'on laisse les sous en dehors de la caisse. Je pense que je devrais te montrer. Tu vas voir, c'est très simple !

Mon grand-père a souri.

— Laisse-moi faire ça à ma manière, Juliette. Toi, pendant ce temps-là, fais donc des choses de ton âge.

Il m'a fait un clin d'œil.

— Tu ne veux pas profiter de l'absence de tes parents pour te prendre un petit bonbon ?

— Papi, je n'aime pas les bonbons. Tu le sais.

— Ah, c'est vrai… Dommage. Moi, j'adore ça !

Il a attrapé une grosse tablette de chocolat. Ma grand-mère était en train de discuter dehors avec un passant depuis quelques minutes. Elle ne semblait pas remarquer de quoi on parlait. Soudain, elle a arrêté net sa conversation pour crier :

— Albert ! Ton diabète !

Mon grand-père a secoué
la tête :

— Ta grand-mère a un sixième
sens. Chaque fois que je veux
m'amuser un peu, elle s'en rend
compte et m'en empêche.

— C'est quoi, le diabète, papi ?

— Une maladie qui m'empêche
de m'amuser...

Il a remis la tablette de chocolat
à sa place et s'est installé sur le
banc derrière la caisse. Dehors,
ma grand-mère arrêtait tous les
passants et leur annonçait que
sa fille était en train

d'accoucher. Elle parlait à tout le monde, même aux gens qu'elle ne connaissait pas. Ma grand-mère aime beaucoup parler! Mais elle ne se rendait pas compte qu'elle était devant la porte et qu'elle empêchait les clients d'entrer! Je suis allée l'avertir.

— Mamie?

Elle ne m'entendait pas.

— Mamie!

Toujours pas.

— MAMIE!

Elle s'est finalement tournée vers moi.

— Oui, mon chaton ?

— Les clients.

— Quoi, les clients ?

— Tu les empêches de passer.

— Oh ! Oh, mon Dieu ! Désolée ! Mais tu as bien raison, mon chaton !

Elle s'est enlevée de l'entrée et les deux clients à qui elle bloquait le chemin ont fini par s'engouffrer dans le magasin. Ils m'ont lancé un regard reconnaissant, comme si je venais de les sauver. Ils ont acheté deux paquets de pâtes et, quand ils sont passés à la caisse, ils se sont rendu compte en même temps que moi que… le caissier dormait! Mon grand-père s'était endormi sur son tabouret! Il avait les bras croisés sur son gros ventre et sa tête se balançait en avant, en arrière. À un moment, son corps s'est penché vers la gauche et j'ai eu peur qu'il bascule.

— Oh là là, celui-là! a soupiré ma grand-mère.

Elle a pris les deux paquets de pâtes à la recherche d'un prix. Puisqu'elle n'en trouvait pas, elle a haussé les épaules :

— On va dire que ça fait deux dollars.

Je me suis approchée d'elle.

— Mais mamie ! Regarde, il faut juste passer les articles sous le rayon et…

Elle m'a interrompue :

— C'est trop compliqué, cette technologie. On va dire deux dollars ; c'est plus simple. Pour les bons clients comme ça, il faut faire un bon prix !

— Mais…

— Tut, tut, tut ! Laisse les adultes s'arranger entre eux.

Elle a fait un gros sourire aux clients, qui sont partis vite, vite avant qu'elle ne se remette à parler. Alors, puisque papi dormait et que j'étais la seule personne qui restait, ma grand-mère s'est mise à me raconter ce que je savais évidemment déjà : que ma mère allait avoir un bébé, que ma naissance avait été difficile, que les médecins avaient dit qu'il y avait des risques que mon frère ou ma sœur naisse aussi par césarienne. Moi, j'avais une seule question. J'ai interrompu ma grand-mère et j'ai demandé :

— Si maman a une césarienne, est-ce que ça veut dire qu'elle sera partie longtemps ?

Cette fois, mamie a arrêté de parler. Elle m'a regardée sans dire un mot et elle a passé sa main sur mon visage, exactement comme maman.

— Mon chaton, tout va bien se passer. Tu verras. Et si ta mère reste à l'hôpital quelques jours, ne t'inquiète pas. Papi et moi, on sera là pour s'occuper de tout.

En disant ça, mamie a donné un grand coup de coude dans les côtes de papi. Ça l'a réveillé aussitôt. Il a sursauté.

— Hein? Quoi? Qu'est-ce qui se passe?

— Il se passe que tu dors alors que tu devrais travailler. Voilà ce qui se passe!

Papi a rouspété sans beaucoup de conviction:

— Je ne dormais pas. Je reposais mes paupières ! À mon âge, c'est très important, le repos des paupières.

Mamie a secoué la tête, mécontente. Elle allait ajouter un commentaire quand la porte s'est ouverte pour laisser place à un groupe d'adolescents.

— Sauvé par la cloche ! s'est exclamé papi en me faisant un clin d'œil — mon grand-père adore les clins d'œil.

— Bonjour, les jeunes ! a lancé mamie. Qu'est-ce qu'on peut faire pour vous aujourd'hui ?

Je reconnaissais presque toute la bande qui venait d'entrer. C'étaient des amateurs de cartes de hockey et ils venaient toutes les fins de semaine au dépanneur. Ils discutaient chaque fois longtemps devant le comptoir avant de repartir avec quelques paquets de cartes et deux, trois sacs de bonbons. Moi, je les trouve intimidants, mais papa et maman aiment bien converser avec eux. Papa, surtout, parce qu'il adore le hockey.

— Tes parents ne sont pas là, Juliette ? a demandé Antoine, le plus grand de la bande.

— Ma mère va accoucher. Ils sont à l'hôpital.

J'ai à peine eu le temps de prononcer ces deux phrases que mamie a pris la parole et s'est mise à exposer en long et en large les détails de l'état de santé de ma mère. Elle parlait, parlait, parlait tandis que les jeunes l'écoutaient poliment en souriant, de plus en plus pressés de retrouver l'air frais dehors. Papi, de son côté, avait décidé de se reposer les paupières encore une fois : il dormait. Pire : il ronflait.

— Albert ! ALBERT ! l'a interpellé mamie.

— Hein ? Je… Je me…

— Ne me dis pas que tu étais en train de te reposer les paupières ! Je l'ai assez entendu. Ces messieurs sont ici pour acheter des choses. Allez, les garçons, mettez-vous en ligne pour payer.

Toute la bande s'est placée devant le comptoir, en ligne bien droite. Chacun avait pris un petit bonbon. Les plus fortunés s'étaient acheté quelques cartes. Ça faisait beaucoup de clients à faire payer. Tout à coup, papi a paru complètement perdu. Il aurait eu besoin de la caisse pour calculer. Mais il ne voulait toujours pas s'en servir. À la place, il a pris un bout de napperon et un crayon à mine et s'est mis à compter tranquillement. Et comme par hasard, c'est à ce moment-là que le magasin s'est rempli. Huit clients ont eu le temps d'entrer avant que papi réussisse à se rendre au dernier garçon de la bande. Derrière lui, un vieux monsieur attendait, son panier plein d'aliments. À la vitesse où allait mon grand-père, il faudrait deux jours pour calculer le prix de ce qu'il achetait ! Et il y avait une longue file d'attente ! La cloche de la porte a de nouveau sonné et deux autres personnes sont entrées. Le dépanneur était bondé et j'entendais les clients soupirer. Si mes parents avaient vu ça, ils auraient été épouvantés! Et comme pour ajouter une touche finale à la catastrophe, le téléphone a sonné à cet instant. J'allais répondre, mais ma grand-mère a attrapé l'appareil avant moi. Elle s'est tout de suite mise à parler très fort :

— Alors? Quoi?... Déjà?... Ooooooh! C'est merveilleux!... Oui, oui, je leur transmets la nouvelle!

Quand elle a raccroché, on la dévisageait tous, les clients, papi et moi. Elle a fait un gros sourire et s'est exclamée :

— C'est une fille ! Juliette a une petite sœur !

Tout à coup, les clients ont commencé à sourire, à me donner de petites tapes dans le dos, à féliciter mes grands-parents. Ils ne s'impatientaient plus, comme s'ils avaient soudain toute la journée devant eux. Mamie s'est mise à raconter la conversation qu'elle avait eue avec papa au téléphone et à la répéter à tous ceux qui entraient dans le dépanneur. Papi, lui, heureux comme un jour de Noël, a profité de l'occasion. Il a ouvert quelques paquets de jujubes et a lancé :

— J'offre des jujubes à tout le monde ! En l'honneur de ma nouvelle petite-fille.

Il s'est lui-même servi une grosse poignée pendant que mamie ne le regardait pas.

Et moi, voyant que les adultes étaient bien trop énervés pour prendre leurs responsabilités, j'ai fait ce que j'aurais dû faire depuis le début : je me suis installée à la caisse et j'ai fait payer les clients.

Maintenant que je suis grande sœur, je prends mes responsabilités !

Mais je dois avouer que j'avais vraiment hâte de lâcher la caisse et d'aller voir le bébé !

C'est pourquoi, quand mes grands-parents ont suggéré de fermer le dépanneur pour aller à l'hôpital, j'ai crié :

— Oui !

Et c'est ainsi que pour la première fois depuis… un an ? deux ans ? trois ans ? Pour la première fois depuis TELLEMENT LONGTEMPS que personne ne se rappelait si c'était déjà arrivé avant, le dépanneur a été fermé un dimanche après-midi.